トガリ山のぼうけん ⑦

雲の上の村

いわむら かずお

理論社

もくじ

こんやも、トガリィじいさんのへやにやってきたのは、三びきのトガリネズミの子どもたちだ。名前は、キッキにセッセにクック。近くに住む、トガリィじいさんのまごたちだ。みんな、トガリィじいさんの話が大すき。

「よおし、トガリ山のぼうけんの、つづきをはじめよう」

トガリィじいさんが、じょうきげんでいった。

「はやくう、トガリ山のぼうけん！」

キッキがさけんだ。

「やったぜ」

セッセが、パチッとゆびを鳴らした。

「あいつの身《み》の上話《うえばなし》！」

クックが目をかがやかせた。

「その話は、もうきいたろ」

セッセがいうと、

「じゃ、オニコウモリやモモタロコウモリの話！」

クックが右手をつきあげた。

「それも、もうきいたじゃないか」

セッセが、口をとがらせて、クックをにらみつけた。

「じゃあ、あいつの……」

クックが、てんじょうを見あげて考えていると、

「つづきっていうのは、きのうきいた話の、その先の話っていったでしょ」

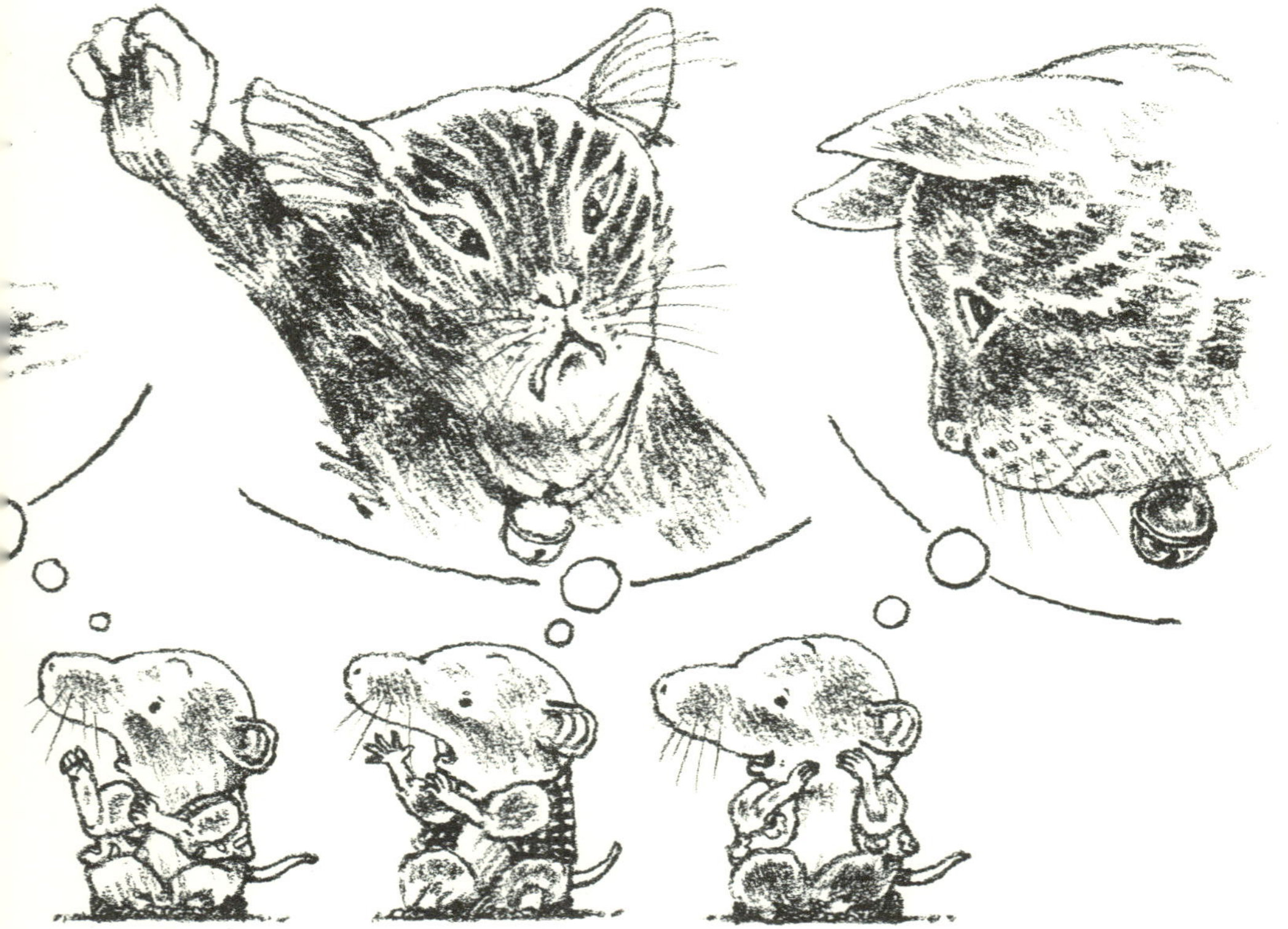

キッキが、まるでおかあさんみたいにいった。

「ははん。クックは、あのネコのことが、まだ気になるんだな。あいつの話は、またこんどきかせてあげるからな。さて、ゆうべはどこまで話したかな」

トガリィじいさんは、にこにこしながら、三びきの顔を見まわした。

「あいつがおいかけてきて、身の上話をはじめたんだ」

「カイネコからステネコになり、ノラネコになった」

「ほこりがたいせつと、ヤマネコになるけっしんをした」

「でも、首のすずがじゃま」

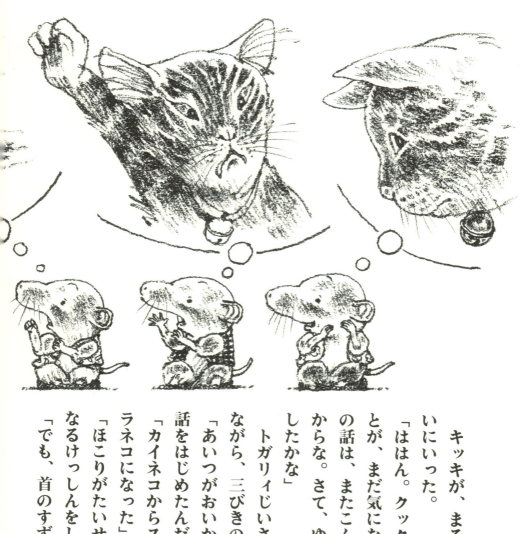

「すずをとってくれえって、おじいちゃんにたのんだんだ」

「でも、すずをはずしたとたん、あいつはおそいかかってきた」

キッキとセッセが、かわるがわるいった。

「あいつ、うそついたんだ」

クックもまけずにいった。

「山のネズミを食ってこそ、ほこり高き山ネコ」

キッキが立ちあがって、あいつのまねをした。

「そうそう、それでわしとテントは、モグラのあなににげこんだ」

トガリィじいさんがうなずくと、

「だけど、まっくらな地底《ちてい》の国にお

っこっちゃうんだ」

セッセが、こわそうな顔でうでぐみをした。

「ブタヅラコウモリや、カッパコウモリがでてくる」

キッキも顔をしかめると、

「モモタロコウモリたちが、たすけてくれた」

クックが、両手《りょうて》をつばさのようにひろげた。

「それで、太陽《たいよう》の光がいっぱいの、光の国にもどったの。それからもう二度《ど》と、あいつにあうことはなかったんだよね」

キッキがトガリィじいさんを見た。

「あいつのことだ。『家《いえ》のネズミを

とってこそ、ほこり高きカイネコ』なんていって、元気にやっているさ」

トガリィじいさんがわらった。

「ね、ね、ね、てっぺんはまだなの」

クックが、トガリィじいさんのひざをたたくと、

「さて、それじゃ。ゆうべのつづき、トガリ山のぼうけんの話をはじめるとしよう」

トガリィじいさんは、鼻《はな》をひくひくと動《うご》かして、めがねにちょっと手をやった。

1

風がうまれる谷

太陽《たいよう》の光を体いっぱいにあびて山道をのぼっていくと、尾根《おね》にでた。ハイマツのしげみにはさまれて、石ころだらけの道が、トガリ山のてっぺんにむかっている。

てっぺんにかかった白い雲は、まっ青《さお》な空を背《せ》にして、ゆっくりと動《うご》いていた。

「なんだ、あの音」

テントがわしの肩《かた》の上でいった。たしかに、ふしぎな音が左がわの谷《たに》からきこえてくる。わしはハイマツの上につきでた岩《いわ》の上にのぼって、谷をのぞきこんだ。

谷そこから、雲がわきあがってくるのが見えた。

「雲がうまれてる?」

テントがいった。なるほど、谷でうまれた雲が、トガリ山のてっぺんにむかって、かけあがっていくように見える。

「雲がないている?」

テントがつぶやいた。

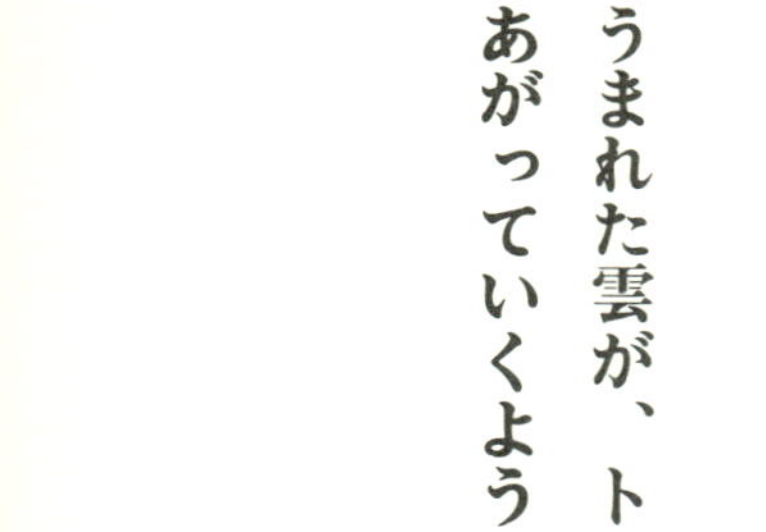

コォーッ　コォーッ
音はあたりにこだましながら、雲といっしょに谷をのぼっていくようにきこえる。

「風の音じゃないか」

わしは耳をすました。

「風がうまれてる？」

テントもわしの耳の下にきて、じっと耳をすました。

「水の音かな」

よくきいていると、水の流《なが》れる音のようでもある。

「水がうまれてる？」

テントがしきりにしょっ角《かく》を動《うご》かしていった。わしも鼻《はな》をひくひくと動かして、谷のにおいをかいだ。ひんやりとしめった風が、谷からのぼってきて、わしの鼻先《はなさき》にさわった。

「谷のにおい、いいにおい」

わしが鼻《はな》から空気をいっぱいすいこむと、

「おい、いいに、おい、いいに」

テントがわしの鼻《はな》に飛《と》びのって、前足でしょっ角《かく》をこすった。

こんどは、すこし強い風が霧《きり》といっしょに吹《ふ》きあげてきて、ハイマツや岩《いわ》や、わしたちの体をしめらせた。ゆれるハイマツのえだ先に、イワヒバリが一羽《わ》とまって、こっちを見ていた。風といっしょに谷をのぼってきたらしい。テントはあわてて、わしの頭のうしろにかくれた。

「やあ」

わしが声をかけると、イワヒバリは、

「やあ」

とこたえて、かた方の羽《はね》をちょっと広げてみせた。

「谷からきこえてくるのは、なんの音?」

わしがきくと、イワヒバリは谷に目をやって、

「あれは、この谷でうまれた水たちと風たちがうたっているの」

と、つやのある声でいった。

「この谷でうまれた水？この谷でうまれた風？」

「水がうまれた？風がうまれた？」

わしとテントがうれしそうにいったので、イワヒバリは羽《はね》を両方《りょうほう》広げて、しきりにうなずいた。

「雲もうまれてる？」

テントがわしの頭の上にのぼってきていった。

「水がうまれると風がうまれ、雲がうまれるんだって。ほら、この谷でうまれた雲たち、おどっている」

イワヒバリは谷からトガリ山のてっぺんへ目をうつした。てっぺんにかかった雲がゆっくりと広がり、谷でうまれた雲をなかまにひきいれているところだった。

「風は雲をはこび、雲は水をはこぶんだって。水はいのちをうみ、風はいのちをそだてるんだって。なんだかふしぎね。水も風も、遠《とお》くへいのちをはこんだりもするんだって。そんな話、かあさんがよくきかせてく

れた」

イワヒバリは、ハイマツといっしょに風にゆれながら、気もちよさそうにいった。

「わたしたちって、水や風や雲のおかげで、生きているのね」

イワヒバリはそういうと、霧《きり》といっしょに吹《ふ》いてきた風にのって、ハイマツの上を飛《と》んでいった。

岩《いわ》だらけの山道は、だんだんきゅうなのぼり坂《ざか》になっていった。西の空に黒い雲のかたまりが見えてきた。

「きょうも、ゆうだちがくるのかな」

わしは岩の上で立ちどまって、肩《かた》の上のテントを見た。

「くるのかな、ゆうだち」

テントもしんぱいそうにいった。

イワツバメが一羽《わ》飛んできて、わしたちの前の大きな岩の上にとまった。

「やあ」

わしが声をかけると、イワツバメはちょっと首をか

しげ、

「ここで、なにしてる？」

といった。

「ぼくたち、トガリ山のてっぺんに
のぼるところなんだ」

「のぼるところ、てっぺんに」

わしとテントがこたえると、

「もうすぐ、あらしがくるよ」

イワツバメは西の空の黒い雲に目をやった。

「あらし？」

「北の国でうまれた、あばれんぼうの風さ。黒い雲につめたい雨をつめこんで、海をわたってやってくるんだよ」

イワツバメはおそろしそうに肩《かた》をすぼめた。

「北の国でうまれた？」

「うまれた、北の国で？」

トガリ山でうまれるだけでなく、遠《とお》くの国でうまれて、トガリ山へやってくる風もあるのか。わしとテントは、ものしりのイワツバメを見つめた。

「北の国でうまれ、南の国をかけまわる風もあれば、南の国でうまれ、北の国へあばれこんでくる風もある。ぼくたちツバメは、旅《たび》のとちゅう、いろいろな風にであうのさ」

「旅をするの？」

「ああ、春《はる》は南から北へ、秋《あき》には北から南へ、ぼくたちは風といっしょに旅《たび》のくらしさ」

「ほかにどんな風がある？」

「海でうまれて陸《りく》へ吹《ふ》く風。陸でうまれて海へ吹く風。地面《じめん》でうまれて高い空へのぼる風。高い空でうまれ地面へおりる風」

イワツバメはときどき羽《はね》を広げては、身《み》ぶりをまじえながら話をつづけた。

「ぐるぐるうずをまく風、まっすぐかけぬける風、ゴウゴウうなる風もあれば、ソヨソヨとやさしい風もある。うまれてすぐきえてしまう風もあれば、いつまでも海や陸《りく》をかけまわっているのもいる。つめたいのやあったかいのや、しめったのや、かわいたのや、なんだかみょうにさびしい風もあるよ」

「ずいぶん、いろんな風があるんだね」

「あるんだ、いろんな風」

　わしとテントは、すっかりかんしんして、イワツバメの話にききいった。

「さて、そろそろ、どこかひなん場所《ばしょ》を見つけたほうがいい。あの雲のようすじゃ、ひどいあばれんぼうの風だぜ。気をつけてな」

　イワツバメはそういうと、右の谷の方へすいっと飛《と》んで見えなくなった。

　黒い雲はだいぶ近《ちか》づいてきて、西の空をくらくおおいはじめていた。

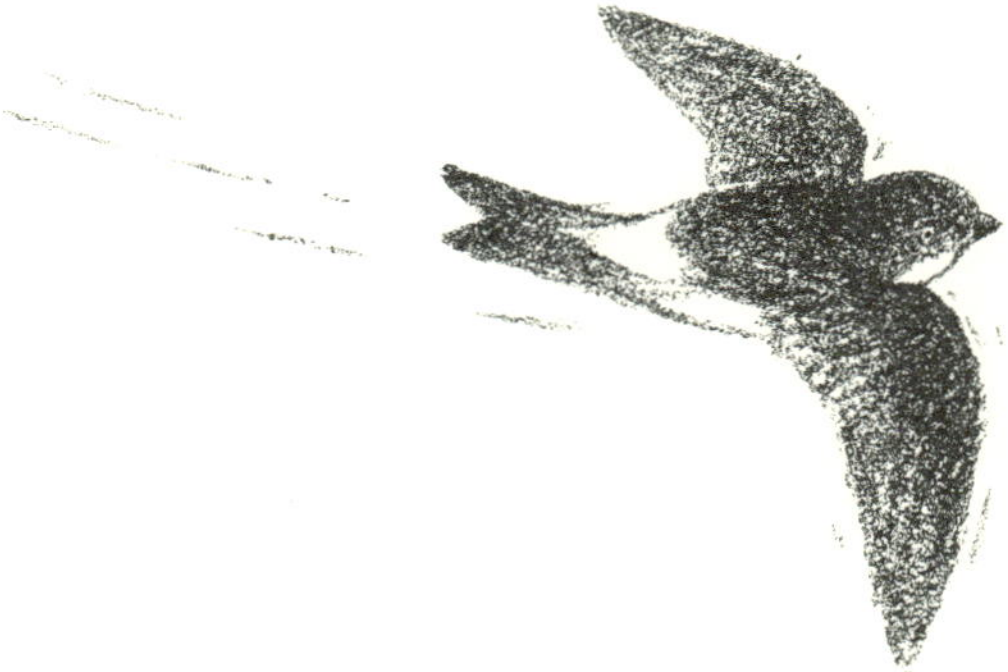

2 あばれんぼうの風たち

ゴォーッと、トガリ山がうなりはじめた。西の空に見えていた黒い雲のかたまりが、いつのまにかわしたちの頭の上まできていて、トガリ山をおおいつくそうとしていた。

思《おも》ったより早く、わしたちのいるところにも風がやってきた。かくればしょをさがすまもなかった。あたりはきゅうにくらくらくなった。ハイマツのかれ葉《は》や小えだが空にまいあがり、東の谷の上をすっ飛《と》んでいった。

「テント、ポケットにもぐりこめ!」

わしはさけんで、すぐそばの石にしがみついた。

ゴオーッ　ゴオーッ　ゴオーッ

トガリ山が大声でうなった。

ハイマツたちが、はげしくのたうって、ひめいをあげた。

わしの体はしがみついていた石ごと、坂《さか》をずりおちはじめた。

ゴオーッと、また
風がうなり声をあげ、
わしの体がころがった。
わしと石は大きくはずんで
岩《いわ》の上におち、またはずんだ。
「うわっ！」
わしは、思わずしがみついていた石をはなした。しっぽにはげしいいたみがはしった。わしの体は坂《さか》をころがって、ハイマツのしげみの中につっこんでとまった。
「いたい！」
どうやらしっぽをやられたらしい。しびれるようないたみで、わしの体はふるえた。頭の上では、ハイマ

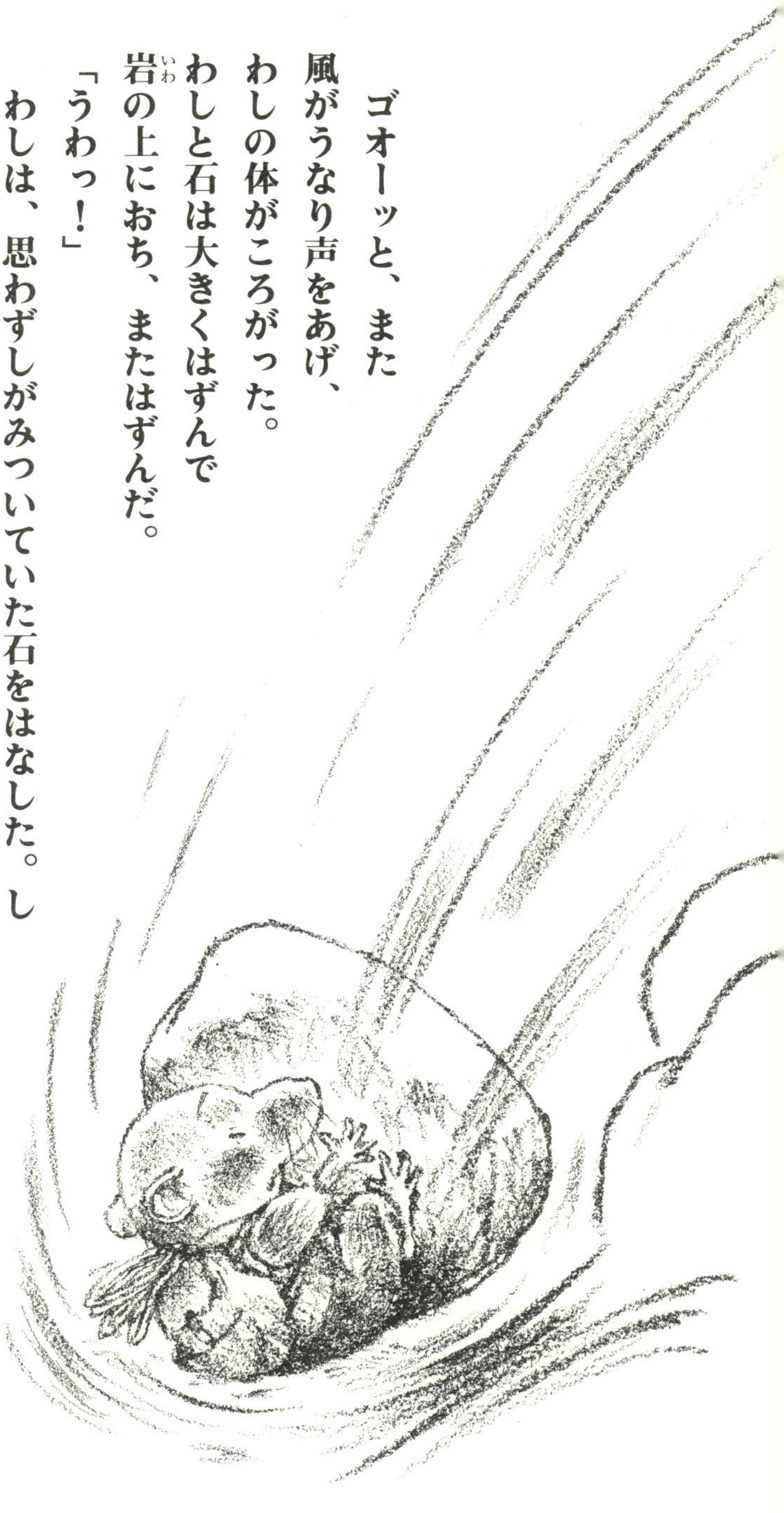

ツたちがえだをひくくしならせ、さけび声をあげて風たちとたたかっていた。

「こっちへおいで」

すぐそばで声がした。しっぽのいたみをこらえながら、声の方を見ると、そこに一羽《わ》のライチョウがうずくまっていた。

「ここにじっとしているのだよ、風たちがいってしまうまでね」

ライチョウは体をまるめたまま、わしを見ていった。わしはライチョウのそばまではっていきうずくまった。

背中《せなか》のテントはぶじだろうか。

「テント、だいじょうぶか」

わしが声をかけると、

「ぶかじょうだい、トガリィ」

テントの元気な声がかえってきた。

ゴゴオーッ　ゴゴオーッ　ゴゴオーッ

トガリ山のうなり声はさらに大きくなった。

ドドドドドオーッ

地面《じめん》がゆれて、はげしい風がおそいかかってきた。ハイマツのしげみごと、はぎとられてしまうのではと思《おも》った。こおりのような雨が、つきささってきた。わしはライチョウにぴったりと体をよせた。動《うご》くたびに、しっぽに強《つよ》いいたみがはしった。

強い風が飛《と》びさり、つぎの強い風がくるまでのあいだに、わしは背中《せなか》のリュックをおろし、テントをリュックごとだきしめた。

「テント、しっかり」

わしがささやくと、

「しっかり、トガリィ」

テントがポケットからすこしだけ顔をだした。

また、はげしい風と雨がおそいかかってきた。
ドドドドドオーッ　ドドオーッ
地面《じめん》がゆれた。トガリ山がゆれているのだろうか。

風たちは、この大きなトガリ山を吹《ふ》きとばすつもりなのか。わしはライチョウの羽《はね》の中に頭をつっこみ目をつむった。強い風のかたまりはくりかえしやってきた。たくさ

んのあばれんぼうの風たちが、つめたい雨をつめこんだ黒い雲を、東へとはこんでいくところなのだろう。

やがて、風たちはあばれるだけあばれて、とおりすぎていった。空はしだいに明るくなって、西から青空が広がりはじめた。

「もう、だいじょうぶ」

ライチョウが立ちあがって首をのばし、空を見まわした。

「だいじょうぶ?もう」

テントがリュックのポケットから顔をだした。

わしはしっぽのいたみをじっとこらえていた。いたみのくるしさは体じゅうに広がり、立ちあがることもできない。

「トガリィ、どうした」

テントがわしの顔をのぞきこんだ。

「しっぽをやられた……」

わしは顔をしかめながら、しっぽをそっとたぐりよ

せた。しっぽのまん中のあたりが赤くはれていた。

「トガリイ、いたい？」

テントはポケットからでて、リュックの上にのぼると、しんぱいそうに、わしの顔とわしのしっぽをかわるがわる見た。

「風に飛《と》ばされたとき、つよくうったんだね。かわいそうに。水でひやすといいよ」

ライチョウも、しんぱいそうに、わしのしっぽを上からよこから見ていった。

「この下に小さないずみがあるんだよ。つれていってあげよう」

ライチョウはハイマツのしげみをでると、西の谷をゆっくりとおりていった。

わしはリュックを背《せ》おうと、いたむしっぽをあかんぼみたいにだいて、ライチョウのあとにつづいた。テントはわしの肩《かた》の上にとまって、しっぽを見つめていた。

じぶんのしっぽをだいてあるいているうちに、わしはみょうなことに気がついた。しっぽはじぶんの体の一部《いちぶ》なのに、じぶんとはべつの、もう一つのじぶんのような気がしてきたのだ。

それに、しっぽをだいて歩くのは、とても歩きにく

いこともわかった。ふだんしっぽは、わしのうしろで、わしが歩いたり走ったりとんだりするのを、だまってたすけてくれていたのだ。しっぽが元気なときは、しっぽのことなどちっとも気にとめてやらなかったが、しっぽがけがをしてはじめて、しっぽのありがたさがわかったというわけだ。

「このしっぽは、ぼくのしっぽだけど、ぼくじゃないのかな……」

わしが小声でつぶやくと、

「ぼくのしっぽじゃない、このしっぽ？」

テントがしんぱいそうに、わしの顔をのぞきこんだ。

ライチョウはわしを気づかって、ときどき立ちどまってはふりかえり、谷をゆっくりおりていった。

大きな岩《いわ》の下から水がわきだし、小さないずみをつくっていた。

「この水は、トガリ山のみねでうまれた、いのちの水だよ」

ライチョウはうまそうに水をひとくちのんだ。

「いのちの水をのみ、しばらくひやせば、はれもひいて、いたみもかるくなるよ」

ライチョウのいうとおり、わしは水をのみ、いずみの中にそっとしっぽをたらした。ほてったしっぽに、水はひんやりとつめたく、ここちよかった。

しっぽをひやしたら、わしも気もちがいい。やっぱりしっぽは、わしのしっぽだ。

谷の下から霧《きり》がわきあがってきて、風といっしょにゆっくりと走っていった。

「すぐよくなるさ」

ライチョウがしずかにいった。

「いたい?しっぽ」

テントが、しんぱいそうにわしの顔を見つめた。

3 かえってこい しっぽ

しっぽを水につけてひやしたまま、わしは目をつむった。いたみがすこしひいてきたらしく、わしはうとうとねむってしまった。

どのくらいねむっていたのだろう、ふと気がつくと、いつのまにか、しっぽのいたみを感《かん》じなくなっていた。しっぽのようすを見ようとふりかえり、おしりに手をやっておどろいた。しっぽがなくなっている！

しっぽはつけねからなくなり、そこにはまるいおしりがつるんとあるだけだ。しっぽは、またのあいだにも、こしにもからみついていない。

たいへんだ。わしはいずみの中を見た。はずれたしっぽが水の中にしずんでいないだろうか。

ない！

いずみのふちもさがした。石と石のすきまにはさまって、おちていないだろうか。

ないぞ！

へんだ。テントもライチョウもいなくなっている。

どこへ行ったのだろう。

わしは立ちあがって、まわりを見まわした。すると、さっきおりてきた尾根《おね》道の方にむかって、なにやらミミズのようなものが、ぴょんぴょんはねていくのが見えた。

あっ、あれは、わしのしっぽにちがいない！

わしは背《せ》のびをして大声でさけんだ。

「おーい、しっぽ！ぼくのしっぽ！」

だが、わしのしっぽには、わしの声がきこえないらしい。いためたあたりをかばいながら、つけねのところを地面《じめん》については、ぴょんぴょんはねて坂《さか》をのぼっていく。

考えてみれば、わしのしっぽに、わしの声がきこえないのはむりもないことだ。わしの耳は、わしの顔についているのだからな。

「まてえ、しっぽ。ぼくのしっぽのくせにひとりでかってに行くな、おーいしっぽ！」

わしは、わしのしっぽをおいかけて走りだした。いま、わしのしっぽをひきとめなかったら、わしのだいじな、たった一本のしっぽを、一生《いっしょう》うしなってしまうことになるかもしれない。かわりのしっぽがはえてくることはないのだ。

だが、しっぽのないわしは、石のあいだをかけだしてはよろめき、はねてはころんだ。石ころだらけの坂《さか》をうまくのぼることができない。

わしのしっぽのほうは、しっぽだけになってしまったのに、前からずっとしっぽだけで生きてきたみたいに、じょうずにはねて坂をのぼっていく。わしのしらないあいだに、いつ、じぶんだけではねまわることをおぼえたんだ。

「しっぽ！しっぽ！」

わしはしっぽをよびながら、たおれてはおきあがり、坂をのぼっていった。

すると、谷からこい霧《きり》がわきあがってきた、あたり

をつつみこんでいった。わしのしっぽは、うすいかげになって、やがて霧《きり》の中にとけこんで見えなくなった。見うしなってはたいへんだ。

「しっぽ、しっぽ、かえってこい、ぼくのしっぽー」

わしは霧の中にむかって夢中《むちゅう》でさけんだ。だが、かえってきたのは、こだまになったわしの声だけだった。

わしはあきらめずに、こい霧の中を、しっぽのない体で坂《さか》をのぼっていった。しっぽが、しっぽだけで、そんな遠《とお》くまで行けるはずはないと思った。

石のあいだに白い花がさいていた。まるい花びらの上に、水てきをのせていた。わしはひとしずくのんで、あらい息《いき》をととのえた。

「かえってこーい、ぼくのしっぽー」

わしはもう一度《いちど》、流《なが》れる霧《きり》の中にむかってさけんだ。すると、なにか動《うご》くものがぼんやりと見えた。わしのしっぽだろうか。

「しっぽ！しっぽ！」

わしはかけだした。よろめき、ころび、おきあがり、また走った。

霧がいくらかうすくなったときだ。よく見ると、わしの前をはねていくのは、一本のしっぽだけではないことがわかった。何本ものしっぽが、石と白い花のあいだを、ミミズのようにはねながらのぼっていくではないか。

どれがわしのしっぽだろうか。

いやまてよ。はねていくのはミミズかもしれない。

わしのしっぽが、ミミズたちをつれてトガリ山へのぼっていく？

なぜだ。

わしにだいじにされなかったわしのしっぽが、いつもわしに食われているミミズたちをさそって、わしからにげだそうとしている？

しかし、わしのしっぽだって、わしが食べたミミズのようぶんを、一番《いちばん》さいごかもしれないけれど、ちゃんとわけてもらっていたはずだ。

「まってくれ、たのむ、ぼくのしっぽー！」

わしは石につまずいてころがり、大声でさけんだ。やっぱり、耳のないしっぽに、わしの声はきこえない。また、こい霧《きり》が谷底《たにそこ》からわきあがってきて、しっぽとミミズたちのすがたをかきけしてしまった。わしはそのばにうずくまり目をつむった。

しっぽが元気なときに、もっとしっぽをだいじにしてやらなければいけなかったのだ。しっぽだって、いつもわしのうしろにいるだけじゃなくて、ときには前にもでてみたいと思っていたかもしれないじゃないか。

「ごめんよ、しっぽー」

わしは目をつむったまま、小さな声でしっぽにあやまった。どうせ、しっぽにはきこえないのに。

すると、ないはずのしっぽにいたみがはしったような気がした。

「トガリィ、トガリィ」

耳もとでテントのよぶ声がした。目をあけると、テントがわしの肩《かた》にとまって、しんぱいそうにわしの顔をのぞきこんでいた。

「ぼくのしっぽが……」

わしは顔をあげ、霧《きり》の中をゆびさした。

「しっぽが、ぼくの？」

テントは、けげんそうな顔で霧の中を見まわして、

「どうした、しっぽ」

と、わしのおしりを見おろした。

「ぼくのしっぽが、かってに……」

わしがそういいながら、おしりに手をやると、どうしたことだ、わしのしっぽは、いつのまにか、わしのおしりにもどっているではないか。

「もどってきた、しっぽ！」

わしは、そっとしっぽをたぐりよせた。

「かってに、しっぽ？」

テントも、いっしょに、わしのしっぽを見つめた。

しっぽのかすかないたみが、わしの体につたわってきた。

しっぽ、もどってきてくれてよかった、そう思うとわしの目にすこしなみだがにじんだ。

「まだ、いたい？」

テントがきのどくそうにいった。

「しっぽがもどったら、いたみももどったよ」

わしがにがわらいすると、

「トガリィ、きゅうにかけだすから、しんぱいした」

テントがほっとしたようにいった。テントはもう一《いち》度《ど》、いずみのところへもどろうといった。

「しっぽ、もうすこしひやした方がいいって、ライチョウがいってた」

しっぽをだいて、テントにあんないされ、わしはいずみのほとりにもどった。ライチョウのすがたは、もうそこにはなかった。

「ライチョウ、またあとで、ようす見にくるっていってた」

テントがリュックの上にのぼっていった。わしはまたしっぽをゆっくりといずみの中にたらした。

ときどき濃《こ》い霧《きり》がわきあがってきて、わしたちをつつみこみ、谷にそってのぼっていった。

「しっぽは、じぶんの体のいちぶなんだから、じぶんだよね」

セッセがじぶんのしっぽを手にとっていった。

「話をきいていたら、じぶんのしっぽはじぶんのものだけど、じぶんじゃないような気がしてきた」

キッキも、じぶんのしっぽを手にとっていった。

「じぶんのしっぽ……」

クックがつぶやきながら、じぶんのしっぽをたぐりよせた。

「じぶんのしっぽっていうんだから、じぶんがいて、じぶんとはべつにしっぽがいる……」

キッキはじぶんのしっぽをもった

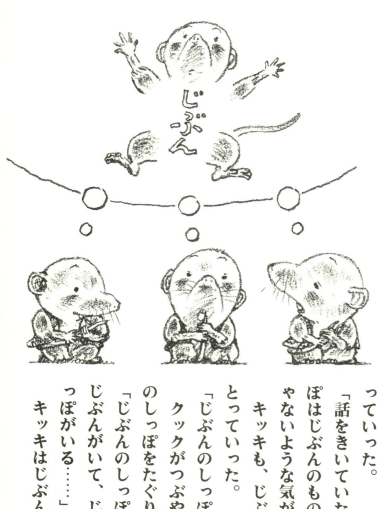

まま考えこんだ。

「そんなことといったら、手だって足だって、じぶんの手とか足だぜ」

セッセが、じぶんの手と足をかわるがわる前にだしてみせた。

「じぶんの頭、じぶんの顔、じぶんのおなか、じぶんのおしり」

クックが、じぶんの体にじゅんにさわりながらいった。

「ということは、じぶんの頭や顔やおなかや、手や足のほかに、じぶんがいる……」

キッキはしっぽをほうりだし、頭をかかえて考えこんだ。

「じゃ、じぶんって、なんなのさ」

セッセがむずかしい顔をした。

4 年老《としお》いたサル

「だれか、くる」

テントがリュックの上でささやいた。霧《きり》の中に、こっちに近づいてくるなにものかのかげが、ぼんやりと見えた。

「大きな、やつ……」

テントがわしの肩《かた》の上に飛《と》びうつっていった。かげは、わしたちよりも、ライチョウよりもずっと大きい動物《どうぶつ》だ。谷の方からゆっくりとのぼってくる。

わしはしっぽをそっと水からひきあげ、いずみのほとりの岩《いわ》かげにかくれた。しっぽは動《うご》かすとまだいたい。

近《ちか》づくにつれ、そのすがたがだんだんはっきりと見えるようになってきた。大きな動物は二本足で歩き、前かがみになって、両手《りょうて》でつえにすがりついている。

いずみのほとりにたどりつくと、ふうーっと大きなため息《いき》をついて、岩《いわ》の上にすわりこんだ。

「あっ、イワザル……」

テントがささやくようにいった。

イワザル。

テントがいうのは、わしたちが草原をぬけ谷をわたるときにであった、あの、岩になってしまったサルのことだ。たしかに、そのすわったすがたはそっくりだ。よほど年をとっているのか、動きがゆっくりしている。

サルは、いずみのふちにおいたままになっているわしのリュックに気をとめるようすもなく、じっとすわりこんだ。霧《きり》の中のサルは、はいいろの岩《いわ》のように見えた。

しばらくすると、サルはかた手でつえにつかまり、もう一方の手でいずみのふちに手をつくと、ゆっくりと水面に口を近づけ、水をのんだ。つえをにぎった手は、体をささえるだけのじゅうぶんな力がないのか、小きざみにふるえていた。

水をうまそうにのむと、サルは顔《かお》をあげ、ゆびで口をぬぐった。わしははじめて、正面《しょうめん》からサルの顔を見た。おでこの下にふかくおちこんだ目は、かた方はねむったようにまぶたをおとし、もう一方はかなしげに遠《とお》くを見つめていた。目の下にも、鼻《はな》の両《りょう》わきにも、口の上にも、長い年月を生きてきた、たくさんのしわがきざまれていた。毛《け》のすりへった手の先で、ゆびがかれえだのようにまがっていた。

年老《としお》いたサルはその場にうずくまり、また、はいいろの岩のようになってしまった。

わしは、いずみのほとりをはなれようと思った。サルはなんだかうすきみわるいし、それに、しっぽのいたみもいくらかやわらいできたから、そろそろでかけなくてはならない。

サルに気づかれないように、いずみのふちのリュックをとりに行けるだろうか。わしはそっと岩かげをでた。やはり、動《うご》くとしっぽにいたみがはしる。

リュックに手をやったときだ。

「でかけるのか……」

サルがうずくまったまま、かすれた声でいった。わしはぎくりとして、リュックをもちあげた。サルはいつのまにか、わしたちがいるのに気がついていたようだ。

「トガリ山のてっぺんに、のぼるのか……」

サルはしずかにいった。谷の下の方で、風が走る音がきこえた。

「は、はい」

わしが小声でこたえると、

「この霧《きり》では、よういではないわい」

サルはゆっくりと顔《かお》をあげ、なにも見えない霧の中を見つめた。

「このわしも、トガリ山のてっぺんめざしてのぼってきたのじゃ。ずっとずっとむかしのことだ」

わしはもちあげたリュックを足もとにおろし、サルを見た。

「一人前《いちにんまえ》のサルになるのだ、などといってな……」

サルは霧《きり》の中を見つめたままいった。わしとテントは顔を見あわせた。

「ほかの二ひきのきょうだいといっしょに?」

わしは思いきってきいてみた。

「どうして、きょうだいのことなどしっている」

サルはわしたちの方に顔をむけた。

「ここへくるとちゅう、川の岸《きし》で岩《いわ》のサルにであったんです。トガリ山にのぼった三びきの子ザルのことをしんぱいし、じっとまっているうちに、岩《いわ》になってしまった母《はは》ザルだということです。そのイワザルの頭《あたま》の上にとまっていたウソが、話していました」

「イワザルが、かあさん？」

テントが肩《かた》の上でいった。

「かあさん……。母ザルが岩《いわ》になったというのは、ほんとうか」

サルは両手《りょうて》でつえにすがり、身をのりだすようにしてわしを見た。あいているかた方の目の中で、ひとみがゆれた。

「ウソからきいた話なので……。でも、あなたがすわっているすがたは、イワザルにそっくりです。そうそう、そのイワザルは、子どもたちのすがたをさがして、ときどき立ちあがるのだそうです。ぼくも、このテントも、この目でそれを見たんです。ほんとうです」

「ほんとうです、見たんです」

サルは両《りょう》うでで、つえごとじぶんの体をだきかかえ、

「かあさん……」

といって、大きなため息《いき》をついた。

「母の愛《あい》とは、まことにふかいものであるのお」

サルはつぶやくようにいって、遠《とお》くを見て、

「トガリ山のてっぺんめざしてのぼってきたが、とち
ゅう、あれやこれやとみちくさしているうちに、長い

年月《としつき》がすぎてしまった。二ひきのきょうだいはとっくに天《てん》にのぼり、わしゃすっかり年をとってしまった。かあさんは岩《いわ》になってしまったか……」

頭《あたま》をたれ目をつむった。

「みちくさ？」

テントが首をかしげると、サルは顔《かお》をあげ、

「あっちへふらり、こっちへふらり、あれを見たり、これを見たり、行ったりきたりもどったり、かけだしたり、たちどまったり、つまずいたり、だれかとであったりわかれたり、ないたりわらったり、人生《じんせい》ずっとみちくさばかり、じゃわい」

といって、目のすみっこですこしだけわらった。

「それで、トガリ山のてっぺんには、いつのぼったんですか」

また、しっぽがいたんできたのを、がまんしながら、わしはきいた。

「それがじゃ、トガリ山のてっぺんは、もうすぐそこ

だというのに、このトガリ山でずっとくらしてきたというのに、まだ、のぼりつめておらぬのじゃ。そのうち、いつの日か、と思っているうちに、こんなに年をとってしまった。もう、体がいうことをきかぬわい」

サルはまるまった背中《せなか》をのばし、しわだらけの顔をかれえだのようなゆびでさすった。

「じゃ、まだ一人前《いちにんまえ》じゃない？」

テントがいうと、サルは両手《りょうて》でつえにつかまりうなずいた。

「テントウムシのいうとおり、てっぺんにとどかぬうちは一人前とはいえぬかもしれぬ。だがのお、みちくさばかりの人生《じんせい》も、けっこういいものじゃわい。それに、てっぺんというものは、行きつくためより、めざすためにあるものかもしれぬぞ」

サルはつえにつかまり、ゆっくりと立ちあがり、

「一人前も、なろうとすればきりのないもの……」

とつぶやいて、

「ところでトガリネズミ、どこかぐあいでもわるいのか」

といってわしを見た。どうしてわかったのだろう。

「さっきの風に飛《と》ばされ、しっぽをいためたのです」

「ふーむ、それはいかん。どうも元気がないと思ったわい。この谷間をすこしのぼると、湯《ゆ》がわきでているところがある。つかれた体をいやすのは、湯につかるのが一番《いちばん》じゃ。わしゃこれから行こうと思っていたところだ。よかったらついてくるがいい」

サルはつえにすがり、足をひきずるようにして歩きはじめた。

「テント、どうしよう」

わしは肩《かた》の上のテントにささやいた。

「元気になって、トガリィ」

テントがささやきかえした。

また、谷の下の方で風が走る音がきこえた。

5
サルの温泉《おんせん》

サルは、岩《いわ》がごろごろころがる坂《さか》を、ゆっくりとのぼっていった。わしは気のどくなしっぽをだいて、テントといっしょにサルのあとにつづいた。ときどき霧《きり》の中にさらにこい霧がかけのぼってきて、サルのすがたをかくしてしまいそうになる。サルは道をえらび、一歩《いっぽ》一歩ちゅういぶかく足をはこんでいった。

しばらく行くと、あたりにきみょうなにおいがただよいはじめた。

「このにおい、なんのにおい？」

わしは顔《かお》をそむけた。

「おい、このに、なんのに、おい！」

テントはあわててリュックのポケットににげこんだ。

「これは、おんせんのにおいじゃ。ちきゅうのはらわたのにおいじゃわい」

サルがひからびたような声でいった。

どこからか、シュオー、シュオーというぶきみな音もきこえてくる。

「ちきゅうのはらわた？」

「はらわたの、ちきゅう？」

わしとテントがいうと、

「われらが星《ほし》、ちきゅうのはらの中では、どろどろと火がにえたぎっているらしい。ときに火はそとにふきだし、大空をこがし、そこに山がうまれるのだというのじゃ。ちきゅうも、宇宙《うちゅう》にうかぶわしらとおなじ生きものらしい」

サルはゆっくりと足をはこびながらいった。

「山がうまれる？」

「うまれる、山が？」

「ふむ、このトガリ山も、遠《とお》い昔《むかし》、火とともにうまれた山なのじゃわい」

サルは息《いき》をはずませ立ちどまると、トガリ山のてっぺんをさがすように霧《きり》の中を見あげた。

「トガリ山がうまれた？」

「うまれた、トガリ山が？」

わしにもテントにも、こんなにとがった大きな山がうまれたなんて、とてもふしぎなことに思えた。

ちきゅうのはらわたのにおいといっしょに、なまあたたかいしめった風がながれてきた。

「さて、ここが温泉《おんせん》じゃわい。湯《ゆ》につかるとしよう」

霧《きり》につつまれて、金いろに光る水面《すいめん》がすこしだけ見えた。ゆげがしずかに立ちのぼっている。

近《ちか》づくと、足もとにお湯がながれてきた。つめたくなった足にここちよかった。

お湯があふれてきていて、石にかこまれたくぼみにわしが入るのにちょうどいい場所《ばしょ》があった。わしは、

リュックをおろし石の上において、お湯の中にそっとしっぽを入れた。テントはリュックの上にでてきて、しんぱいそうに、わしを見おろしていた。

霧《きり》とゆげにかくれて、サルのすがたは見えないが、ときどきゆらすお湯の音と、大きくはきだすため息《いき》で、サルのいる場所がわかった。

「肩《かた》までつかって、よく体をあたためるのじゃ」

しばらくだまっていたサルが口をひらいた。

「しっぽがよわると体もよわる。体をなおせばしっぽもなおる」

わしはサルのいうとおり、そろりそろりと体をお湯の中にしずめていった。背中《せなか》のあたりがむずむずとした。

「体がよわると、しっぽもよわる？しっぽをなおせば、体もなおる？」

テントがつぶやいた。

「どうじゃ、いい気分じゃろう」

「はい、いい気もちです」

わしはサルみたいに、ため息《いき》を一つついた。それから、じぶんといっしょにお湯《ゆ》につかっている、じぶんのしっぽをたぐりよせ、先っぽだけお湯の上にだしてながめた。しっぽもぽかぽかあたたまり気もちよさそうだった。

「さっき、じぶんのしっぽが、かってにじぶんからはなれ、しっぽだけでトガリ山へのぼっていってしまったんです。じぶんのしっぽがじぶんのいうことをきかないなんてこともあるんですね」

わしはしっぽの先をお湯の中にもどした。

「それはよくあることだ。じぶんのいうことをきかぬのはしっぽだけじゃない。年をとると、手も足も頭も、じぶんの思うようにならぬ。トガリ山のてっぺんにのぼろうと思っても、体がいうことをきかぬ。もっと生きていたいと思っても、体がいうことをきかぬ。じぶんの体なのにのお」

すこし霧《きり》が動《うご》き、ゆげにつつまれて、肩《かた》までお湯《ゆ》につかっているサルのよこ顔が見えた。

「すると、じぶんの体とじぶんとは、ちがうものなんですね」

わしはお湯の中のじぶんの足にさわってみた。

「じぶんじゃない、じぶんの体？」

テントがつぶやくと、

「じぶんの体がじぶんではないとはいえぬ。じぶんというのは、じぶんの心とじぶんの体でできているように、わしには思えるのじゃが、どうじゃ」
サルはじぶんの体にお湯《ゆ》をかきよせた。
「そうか、体がよわると心もよわる。心がよわると体もよわる、ということでしょ」
わしはお湯の中のじぶんのむねにさわってみた。

「それに、じぶんの体と心には、たましいというものがやどっているらしいのじゃ。たましいは、ときには体や心からぬけでることがある。そして、じぶんの体と心がほろびたとき、たましいは体と心からかんぜんにはなれ、天《てん》にのぼっていくというのじゃ。体と心から自由《じゆう》になったたましいは、たましいだけで天を飛《と》びまわっているというぞ」

サルはお湯《ゆ》から両《りょう》手《て》をだし、空を見あげた。

「たましい？」

わしとテントが、どうじに声をだした。

「たましい、それがなんなのか、このわしにもはっきりとはわからぬのじゃが。たぶん、じぶんの体と、じぶんの心のまん中にあるもの、それがたましいなんじゃないかと、わしは思っておる。じぶんの体と、じぶんの心の、ずっとおくにあるじぶんといったらいいかのお」

谷の下の方で、風がうなり声をあげ、つめたい霧《きり》がかけのぼってきた。サルはまた、両手《りょうて》でじぶんの体にお湯《ゆ》をかきよせた。

たましい。

ふしぎなことばだとわしは思った。わしはお湯の中のじぶんのむねに両手をあてた。しんぞうのこどうが、じぶんの手につたわってきた。このしんぞうのこどうのそのおくに、たましいがあるのだろうかとわしは思った。

「すべてのものに、たましいがやどる、ということをきいたことがある。わしやおまえたちのような生きものたち、どんな小さな虫にも、木や草やキノコにも、ちゃんとたましいがやどっておるというのじゃ。岩《いわ》や山や森や川にさえ、たましいがやどっている、と考《かんが》えるものもいるらしい。たましいというものは、ふしぎなものじゃ」

また、ふかい霧《きり》がながれてきて、サルのすがたをつつみ、ひからびた声だけがきこえてきた。

「たましい？」

クックが、目と目のあいだにしわをよせて、トガリィじいさんを見た。

「じぶんの体と、じぶんの心の、まん中にある……」

キッキが、両手《りょうて》をむねにあて、遠《とお》くを見つめて考《かんが》えた。

「じぶんの体と、じぶんの心の、ずっとおくにあるじぶん……」

セッセが、むずかしい顔《かお》をしてうでぐみをした。

「たましいって、いのちってこととかんけいある？」

キッキが、トガリィじいさんを見た。

「たましいが、体と心からはなれる

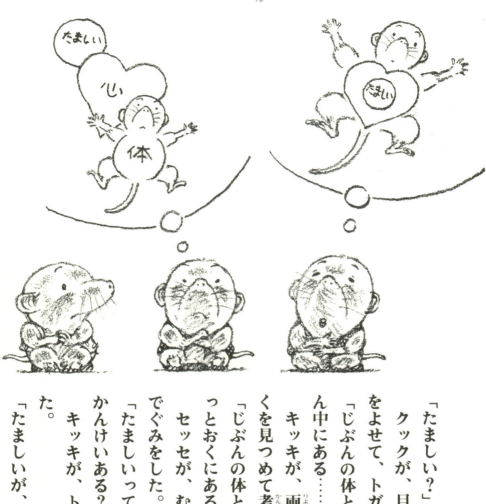

って、死《し》ぬってことでしょ」

セッセが、うでぐみをしたままトガリィじいさんを見た。

「そうだけど、ときには、体や心からぬけでるっていうのは、生きてるときのことじゃないの？」

キッキがいうと、セッセはうでぐみをほどいて、

「それって、ねていて目がさめたばっかりのときとか、びょうきで体がよわっているときとか、ぼうっとしているときのことかな……」

両手を頭にのせて考《かんが》えた。

「ぼうっとしているときのこと？」

クックも両手を頭にのせて考えた。

「とてもかなしいときとか、うんと

がっかりしたときみたいに、へたーっとなっちゃうときのことかな……」

キッキが、体の力をへたーっとぬいて考《かんが》えた。

「へたーっとなっちゃうときのこと？」

クックも体の力をへたーっとぬいて考えた。

「やっぱり、たましいって、いのちってことや、元気ってこととかんけいあるんだ」

キッキが、体をきりっとさせていった。すると、

「でも、山や森や川や岩《いわ》にも、たましいがやどってるんでしょ」

セッセがまたうでぐみをした。

「そうか……」

キッキもうでぐみをして考えると、

「そうか……」

クックもうでぐみをして考えた。

すると、セッセが、うでぐみをしたまま首をかしげ、

「たましいって、いのちってことと、カミさまってことにも、かんけいあるんじゃない？」

といった。

6 雲の中へ

わしは温泉《おんせん》につかったあと、岩《いわ》かげでねむった。岩は温泉のねつであたたまっていて、ここちよかった。目をさますと、しっぽのいたみはうすらいでいて、体もだいぶ元気になったように思えた。

霧《きり》はいくらかはれてきて、まわりのようすを見わたすことができた。谷にはいくつもの大きな岩がころがり、そのあいだを地面《じめん》をきいろにそめてお湯《ゆ》が流《なが》れていた。あちこちの岩かげから白いゆげが立ちのぼり、谷底《たにそこ》からわきあがってくる霧《きり》たちをむかえていた。

あたりにサルのすがたはなかった。だれもいない温泉は、しずかにゆげがゆれているだけだ。

体がほろびたとき、じぶんのたましいは体からはなれ天にのぼっていく、とサルはいっていた。

「た・ま・し・い」

わしはそのふしぎなことばを、もういちど口にだしてみた。

「たましい？」

リュックのポケットでねむっていたテントが顔《かお》をだした。

「サルのじいさま、どこかへ行ってしまった」

わしは谷を見まわした。

「天《てん》にのぼった？」

テントのことばに、わしはぎくりとした。

「体もいっしょにどこかへ行ったんだから、まだ、天になんかのぼっていないさ」

わしはちょっとむきになっていって、立ちあがった。

「さあテント、ぼくたちもでかけよう」

わしがリュックを背《せ》おおうとすると、

「だいじょうぶ？トガリィ」

テントがしんぱいそうにわしのしっぽを見た。

「ぶかじょうだい、ぶかじょうだい」

わしはテントの口ぐせをまねしておどけてみせた。

しっぽをふると、いたみがはしり、わしは思わず顔をしかめた。

「ほら、だいじょうぶじゃない」

テントはわしの顔を見のがさずにいった。わしはかまわず、テントをのせたままリュックを背《せ》おった。だが、立ちあがり歩こうとすると体がふらついた。

「トガリィ、もっと休んだほうがいいよ」

テントがわしの肩《かた》に飛《と》びうつってきていった。

「うん……」

わしはなまへんじをして、ゆっくり歩きはじめた。

「てっぺんへ行くのはむり、そんな体で！」

テントが大声でいった。

「てっぺんはすぐそこって、サルのじいさまがいってたじゃないか。ずっと、めざしてのぼってきたてっぺんが、もうすこしなんだ。がんばるよ」

たしかに体はつらかったけれど、わしは早くてっぺんを見てみたかった。それに、体はてっぺんに行ってから休めればいいと思った。

「てっぺんは行きつくより、めざすためにある、ともいってた」

テントはしんけんな顔《かお》でわしを見つめた。

「がんばらなくちゃ、てっぺんには行けないのさ。テントだって、早ぐてっぺんにのぼって、一人前《いちにんまえ》になりたいだろ」

わしは立ちどまり、息《いき》をきらしながらいった。

「いまは、がんばらなくていい、トガリィ。一人前なんかどうでもいい」

テントがかなしそうにいった。わしは石の上にこしをおろした。

谷をすこしのぼったところに、ハイマツのしげみが見えた。きっとその先に、さっきのぼってきた尾根道《おねみち》のつづきがあるのだろう。

「そうだ、あそこでなにか見つけて食べよう。食べれば元気がでるさ」

わしはハイマツのしげみをゆびさし、しんこきゅうをした。

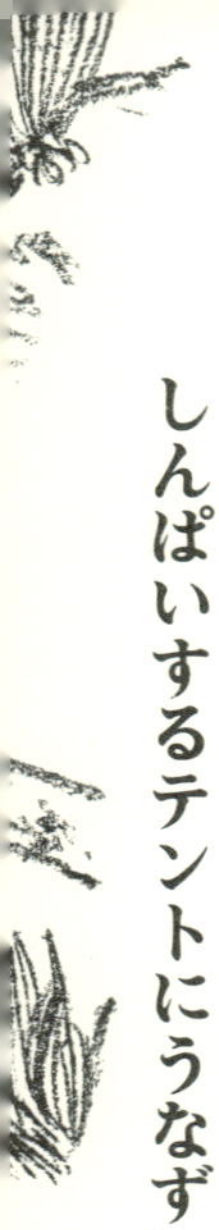

「元気になって、トガリィ」

テントがなみだ声《ごえ》でいった。

わしはゆっくり時間をかけて、ハイマツのしげみまでのぼった。それから、ハイマツの根《ね》もとのおち葉《ば》をかきまわして、ミミズや虫をさがした。テントも、食べものをさがしに飛《と》び立った。

わしはいままで食べたことのない小さな虫を見つけて食べた。テントは、アブラムシのかわりに、花のミツをなめてきたといい、

「チョウになったきぶん」

とわらった。わしとテントは、ハイマツの根《ね》もとでしばらく休んだ。

またすこし元気がもどってきたような気がした。

「もうちょっと行ってみよう。てっぺんが見えるかもしれない」

「むりしないでね、トガリィ」

しんぱいするテントにうなずいて見せて、わしはハ

イマツのしげみの中を歩きはじめた。

尾根《おね》道《みち》が見つからないままのぼっていくと、やがて大きな岩《いわ》のかべにつきあたった。

見あげると、雲がすぐそこまでたれこめていて、がけの上を見とおすことができない。かべにそって、右の方にまわっていくと、岩がくずれているところへでた。かいだんのようになっていて、ここならのぼっていけるかもしれないと思った。

「そんな体で、こんながけ、むり、トガリィ」

テントががけを見あげていった。

「でも、あの雲の中に、てっぺんがあるのかもしれない」

わしもそばの岩にこしをおろして、がけを見あげた。

「ぼく、上の方、見てくる」

テントはわしの頭の上にのぼった。

「気をつけてね、テント」

「わかった」

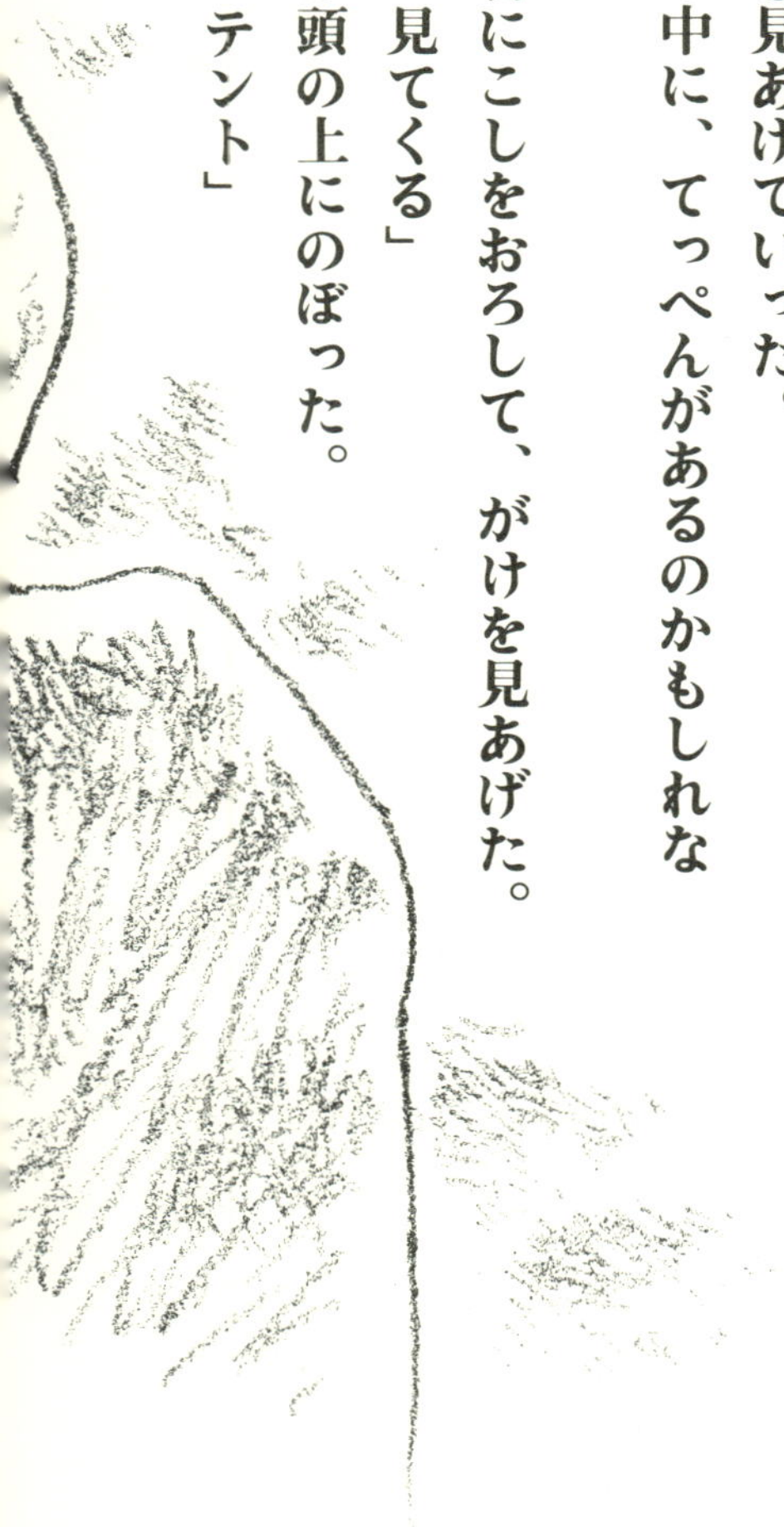

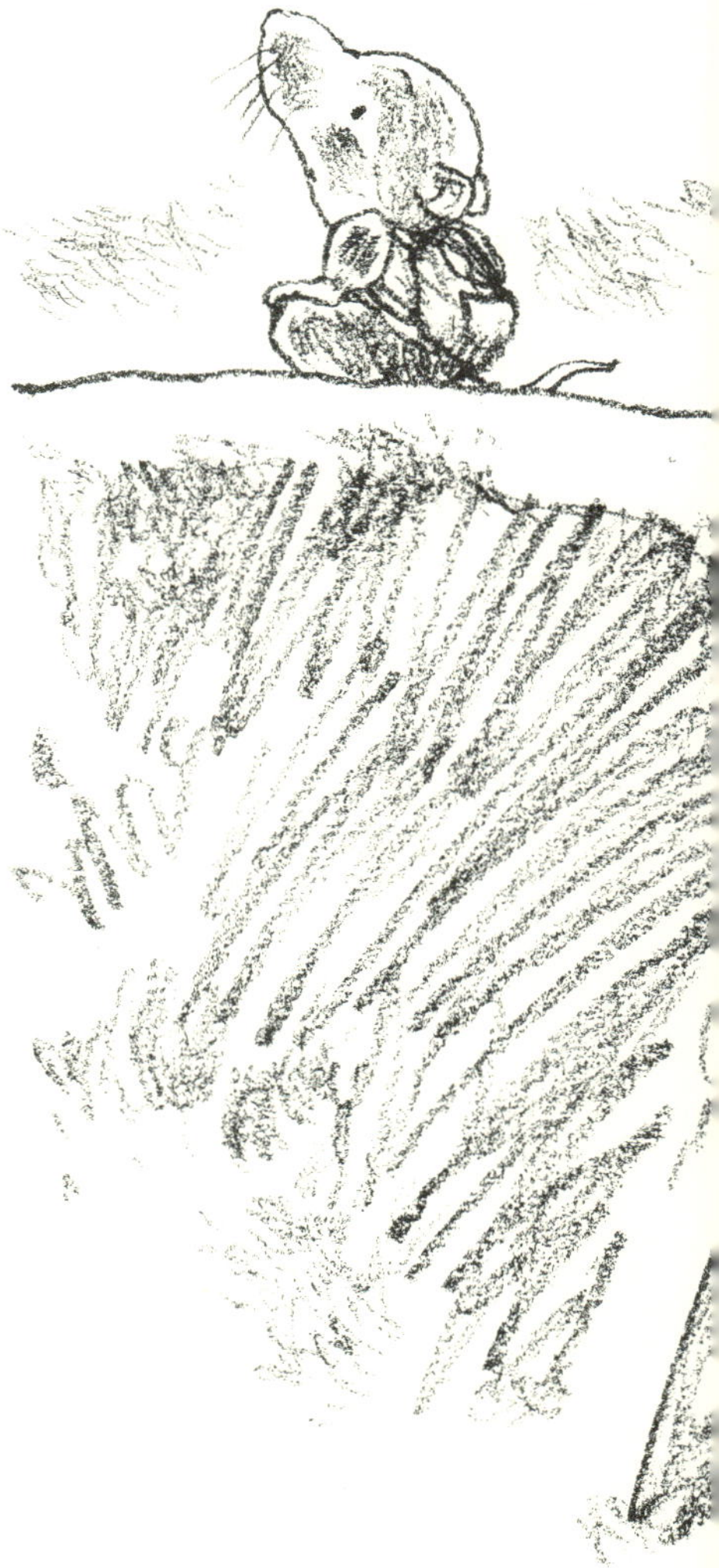

テントはエイッと小声でいって、わしのてっぺんから飛《と》び立った。テントはハイマツの上をひとまわり飛んで、それからかべづたいにのぼって、やがて雲の中に入って見えなくなった。

わしは岩にこしかけたまま、あたりを見まわした。見えるのは岩のかべと、その下に広がるハイマツのしげみだけだ。岩のかべの上も、ハイマツのしげみの先も、雲におおわれている。ときどき、岩のかべのどこかで、風がかなしげなさけび声をあげた。

じぶんの思うようにならないじぶんの体、とサルのじいさまがいっていた。たしかにそうだ。ずっとめざしてのぼってきたてっぺんが、すぐそこだというのに、わしの体はわしの思うようにならない。

しばらくすると、雲の中からテントがもどってきた。

「かいだん、ずっとつづいている」

テントはわしの顔《かお》の前の岩《いわ》の上におりた。

「のぼれそう?」

「うーん」

テントはうでぐみをすると、声をひそめて、

「サルが、のぼっていく」

といった。

「あの、じいさまが!?」

あんなによたよた歩いていたサルが、こんなきゅうながけをのぼっていくなんて、しんじられなかった。いうことをきかぬといっていた体が、温泉《おんせん》につかっていうことをきくようになったのだろうか。元気になっ

て、あきらめていたてっぺんへ、またのぼる気になったのだろうか。

「よし、ぼくらも行こう」

わしは立ちあがった。また、しっぽにピリッといたみがはしった。

「まだ、むり、トガリィ」

テントが肩《かた》に飛《と》びうつって、しんぱいそうにいった。

「せっかくここまできたんだ。きっと、てっぺんはすぐそこだよ」

わしは、つらいじぶんの体をはげますように、わざと明るくいった。

「だいじょうぶ、サルのじいさんものぼっていったんだ。ぼくだって温泉に入ったから、だんだん元気になるさ」

わしは、しっぽをいたわりながら、ゆっくりがけをのぼりはじめた。

岩《いわ》のわれ目の中に、のぼりやすいところをさがして

すすんだ。つめを立て岩《いわ》にしがみつくようにしてのぼらなければならないところもある。だいじょうぶといったものの、体はとてもつらい。ときどき、すうっと力がぬけそうになる。テントはすこし飛《と》んでは岩の上にとまり、しんぱいそうにわしを見おろした。

下の方で、ヒューッと風が鳴った。風が岩にぶつかりひめいをあげたみたいだ。テントがわしの背中《せなか》のリュックにもどってきた。見おろすと、ハイマツの上を白い雲たちがあわただしくかけていくところだった。

「トガリイ、体もう」

テントがしんぱいそうにいった。

「ぼくはだいじょうぶ、テントはリュックのポケットに入ってれば」

わしは、むりにわらい顔《がお》をつくっていった。テントはちょっとおこって、

「だいじょうぶ、ぼくは!」

とどなった。

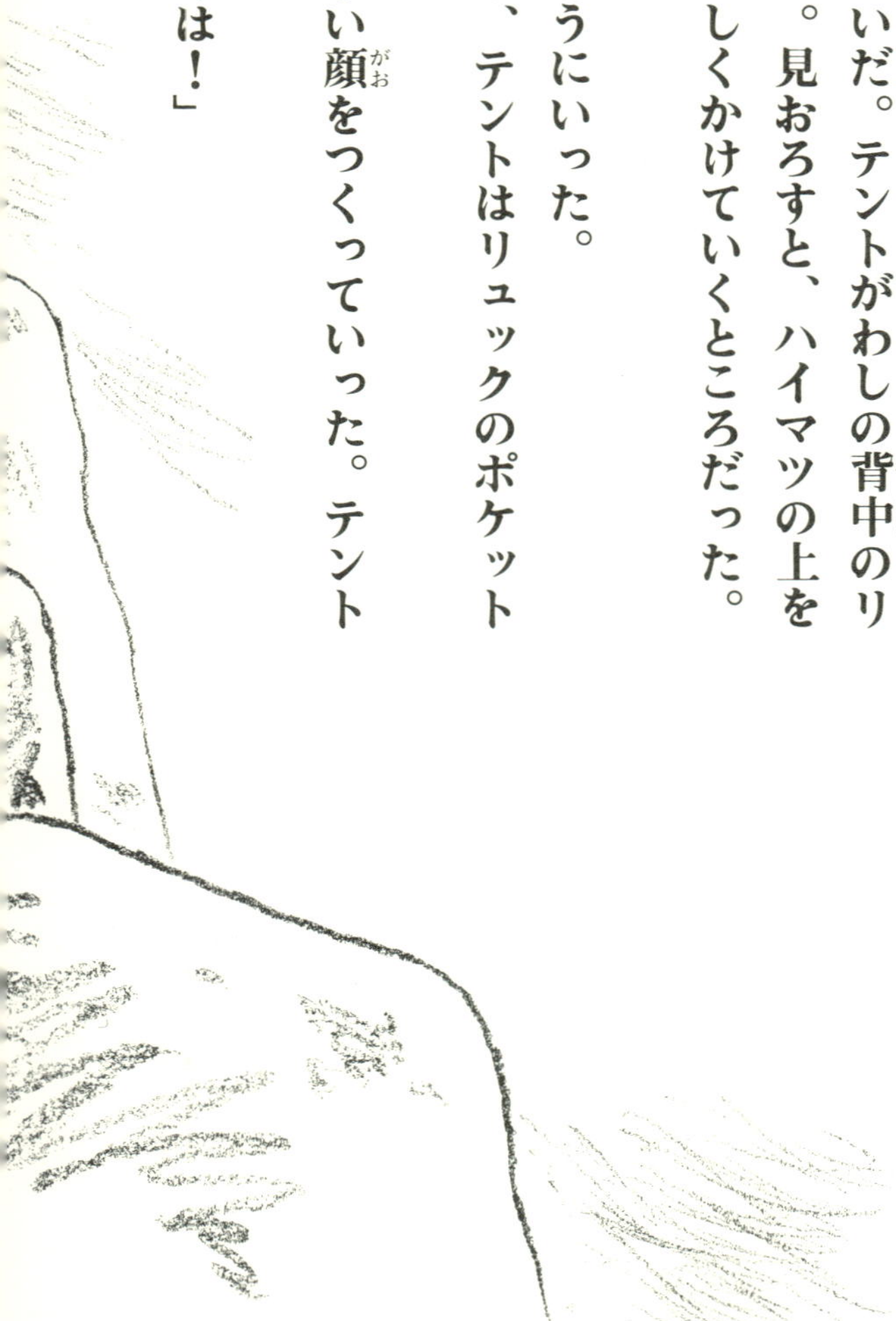

ビューッ、ビューッ、こんどは上の方で風がうなった。首をすくめて見あげると、岩のかべにからみついた雲が、もだえるように動《うご》いているところだった。

わしはとても息《いき》ぐるしくなってきた。体がほてっていた。ねつがあるのかもしれない。

「あっ、サル！」

テントがさけんだ。雲のきれ目に、岩のかいだんをのぼっていくサルのうしろすがたが見えた。背中《せなか》をま

るめ、とまっているのか動《うご》いているのかわからないほど、ゆっくりとのぼっていく。

雲はせわしなく動き、またすぐにサルのすがたをつつみこんだ。そしてサルはいいろの雲の一つになっ

て、まわりの雲の中にすいこまれ、まいあがっていったように見えた。

わしたちのまわりでも、下の雲がわきあがり、上の雲がおりてきて、わしたちをすっぽりつつみこんだ。なんにも見えない白い雲の世界《せかい》にとじこめられた。

「トガリイ……」

テントがわしのすぐ目の前の岩《いわ》の上におりてきた。テントのすがたがぼんやりとかすんだ。

ヒューッ、ヒューッ、上からも下からも、風たちのひめいがきこえた。

「テント、リュックのポケットに入って！」

わしは背中《せなか》をテントの方にむけた。

とつぜん、めまいがして、わしは目をつむり、その場《ば》にしゃがみこんだ。テントはリュックに飛《と》びうつってこない。

「テント、テント」

わしは目をあけ、テントをよんだ。テントも、目の前の岩《いわ》も雲にのみこまれて、まるで見えない。

「テント……、テント……」

どうしたのだろう。いくらよんでもへんじがない。わしは手さぐりでテントがとまっていた岩をさがした。しかし、ふしぎなことに、わしの前から、岩もテントもきえてなくなった。

「テント！テント！」

わしは声をふりしぼってさけんだ。だんだん息《いき》がくるしくなり体が動《うご》かなくなってきた。体の力がぬけていくような気がした。

わしはぼんやりとした頭で、じぶんの足もとに手をやった。おや、どうしたことだ。わしがのっているはずの岩も、いつのまにかなくなっている。わしはあたりをはいまわり岩をさがした。

わしのまわりには、手にふれるものはなにもない。どうやら、わしは雲の中にうかんでしまったらしい。

7

顔のある小さな雲

わしはおちていくわけでもなく、ながされていくわけでもない。やはり、雲の中にぷかりとうかんでいるようだ。どうもそんな気がする。

それに、さっきまで、あんなに息《いき》ぐるしかったのになんだかきゅうに、体がらくになったように思える。

わしは、なにやらやわらかいものにつつまれて、雲の中にうかんでいる。そんなふうに思えて、まわりを見まわした。

白い小さな雲が、わしをとりかこむようにしてうかんでいた。わしよりいくらか大きいのやいくらか小さいのが、七つか八つ、わしに近《ちか》づいてきてはふわっとはなれ、またゆっくり近づいてくるということをくりかえしている。

とにかく、いますぐ谷底《たにぞこ》についらくし、岩《いわ》に体をたたきつけられるといういうしんぱいはなさそうだ。わしは気もちをおちつかせ、もう一度《いちど》テントをよんだ。

「テントー、テントー」

いくらよんでも、テントのへんじはかえってこない。風たちのさけぶ声もきこえない。とてもしずかだ。テントはどこへ行ってしまったのだろう。

すると、わしはまたふしぎなことに気がついた。それはじぶんの体のことだ。なにかが、いままでとちがう。じぶんの体が、あるようでないような気がする。じぶんの体を、見ようとしてもよく見えない。じぶんの体が、じぶんのずっと遠《とお》くにあるような気がする。

じぶんになにがおこったのかよくわからないまま、ふしぎな気もちでいると、わしをとりかこんでいる小さな雲の中の一つが、なにやら声をだした。小鳥のさえずりみたいな声だ。わしはきき耳をたて、小さな雲をじっと見つめた。

わしは思わず、「あっ！」と声をあげてしまった。

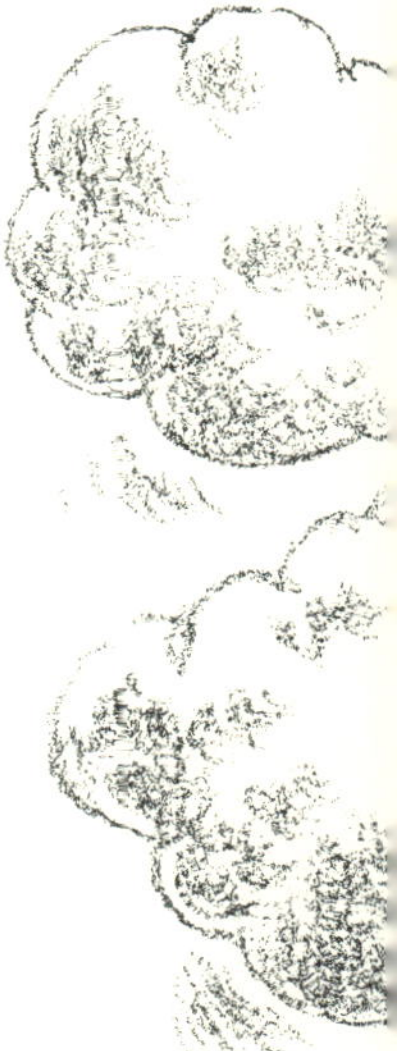

小さな雲に、ふうっと、顔がうかびあがったのだ。おどろいたことに、見まわせば、どの小さな雲にも、いつのまにかそれぞれの顔がうかんでいる。

どの顔もにこにこほほえんでいる。

顔というものはふしぎなものだ。顔が見えたら、小さな雲に心があるのがわかった。顔を見ると、小さな雲の心が、いくらか見えるというわけだ。

小さな雲たちは、うれしそうになにやらしゃべりあっている。

「アタラシイ　シイ」

「タマシイ　シイ」

「モドッテ　ドッテ　ドッテ」

「キタヨ　タヨ　タヨ」

「アタラシイ　シイ」

「ナカマ　カマ　カマ」

「モドッテ　ドッテ　ドッテ」

「キタヨ　タヨ　タヨ」

顔のある小さな雲

そんなふうにきこえる。はっきりとはわからないのだが、まるでうたっているみたいだ。

小さな雲の一つが、わしの顔の前にやってきて、話しかけてきた。

「キミガ　ミガ　ミガ、モドッテ　ドッテ　ドッテ、ウレシイ　シイ」

すぐにいみがわからなくて、わしは小さな雲の顔をじっと見つめた。小さな雲は、口の両《りょう》はじを思いきりひきあげてほほえんだ。小さなきいろの目は、雨のしずくみたいにすきとおっていた。なんだか、アマガエルみたいな顔だなと思った。

「コンニチハ　チハ、ゴキゲンヨウ　ヨウ」

べつの小さな雲が、わしの顔の前にやってきていった。小さな雲は口をまるくしてほほえんだ。小さなうすちゃいろの目は、こぼれおちそうにすきとおっていた。ショウリョウバッタみたいな顔だなと思った。

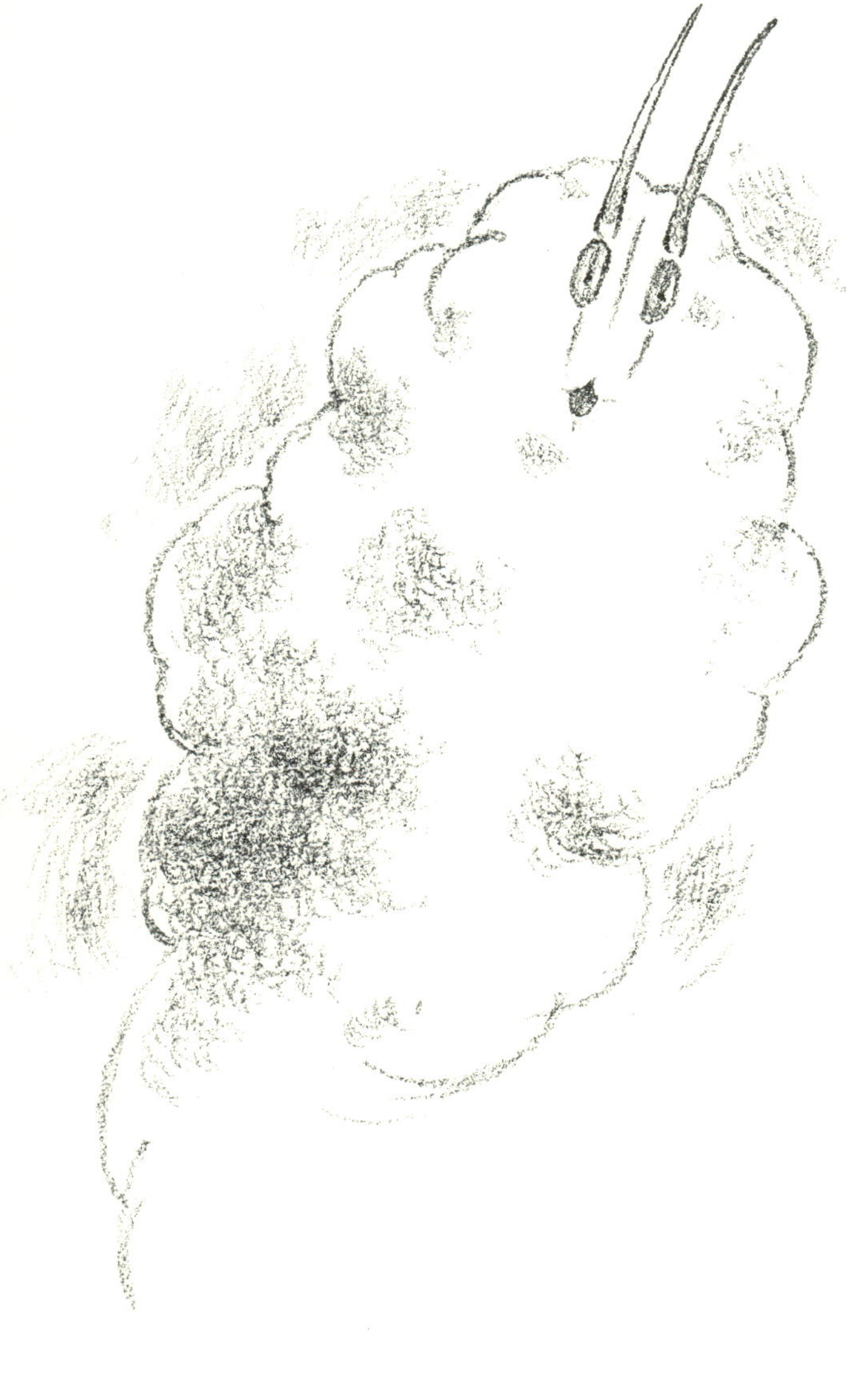

「ヨウコソ　コソ　コソ」

またべつの小さな雲が、わしの顔の前にやってきていった。小さな雲は、小さなとがった口をせいいっぱいあけてほほえんだ。小さなくろい目は、とろけそうにすきとおっていた。イワヒバリみたいな顔だなと思った。

「イラッシャイ　シャイ」

「ヤア　ヤア　ヤア」

「ドウゾ、ヨロシク　シク　シク」

ほかの小さな雲たちも、わしの顔の前にあつまってきた。リスみたいな顔や、カメみたいな顔や、カタツムリみたいな顔だ。

わしの方からも、「やあ」とあいさつしようと思ったが、どうしたのか声がでない。しかたなく、わらい顔《がお》だけつくってこたえると、小さな雲たちは、たがいに顔を見あわせてほほえんだ。

「サア　サア、イコウ　コウ」
「クモノ、ウエノ　エノ、ムラ　ムラ　ムラ」
「ミンナノ　ナノ、ムラ　ムラ　ムラ」
「ステキナ　キナ、ムラ　ムラ　ムラ」

小さな雲たちは口ぐちにいって、わしをとりかこんだ。それから、むくむく体をくねらせて、みんなでおよぐように動《うご》きはじめた。わしをどこかへつれていくつもりらしい。

小さな雲たちは、きれいな声でうたいはじめた。

シロイ、クモノ　モノ、ウエ　ウエ　ウエ
アオイ、ソラノ　ラノ、シタ　シタ　シタ
アフレル　レル、ヒカリ　カリ　カリ
タマシイノ、ヤスム　スム、トコロ　コロ
トガリヤマニ　マニ、ウカブ　カブ　カブ
クモノ、ウエノ　エノ、ムラ　ムラ　ムラ

白や銀《ぎん》いろの雲が、ゆっくりとかたちをかえながら、

わしたちのうしろへ流《なが》れさっていった。やがて、いくすじもの光が、雲の中へさしこんできて、小さな雲たちが金《きん》いろにかがやいた。

「雲に顔があるなんて、ふしぎ!」

キッキがいうと、

「雲がしゃべるなんて、おもしれえ」

とセッセがいった。

「アタラシイ シイ、タマシイ シイ」

クックが小さな雲のまねをして、トガリイじいさんのまわりを、ぷかりぷかりとうかんでみせた。キッキも立ちあがって、

「モドッテ ドッテ ドッテ、キタヨ タヨ」

両手《りょうて》を広げてうかんでみせた。

「トガリヤマニ マニ、ウカブ カブ カブ」

セッセは手をうしろにくんで、ま

るくなってうかんでみせた。

「小さな雲のことばって、こだまみたいだね」

キッキがうかぶのをやめていった。

「小さな雲って、たましいなんじゃない？」

セッセもうかぶのをやめていった。

「タマシイノ、ヤスム　スム、トコロ　コロ」

クックはうたいながら、まだ、ぷかりぷかりとうかんでいる。

「そうだ、たましいなんだ。いろんな顔したたましい……」

セッセがトガリィじいさんの顔を見ると、

「きっと、いろんな生きものたちの

たましいなんじゃないの」

キッキもトガリイじいさんの顔を見た。

「クモノ、ウエノ　エノ、ムラ　ムラ　ムラ」

クックは、まだぷかりぷかりとうかんでいる。

「そうか、たましいは雲の上で、みんななかよくくらしているのか」

セッセがうでぐみをして、てんじょうを見あげた。

「だけどおじいちゃん、ほんとにたましいになって、雲の上の村に行っちゃったの？」

キッキがきゅうに、しんぱいそうな顔でいった。

「ほんと？おじいちゃん、しんじゃったの？」

クックがうかぶのをやめて、しんぱいそうな顔でいった。

「しんじゃったわけないだろ。おじいちゃん、まだここにいるんだから」

セッセが口をとがらせて、クックをつついた。

「そっか」

クックがあたまをかいて、ほっとしたようにトガリィじいさんを見た。

8　雲の上の村

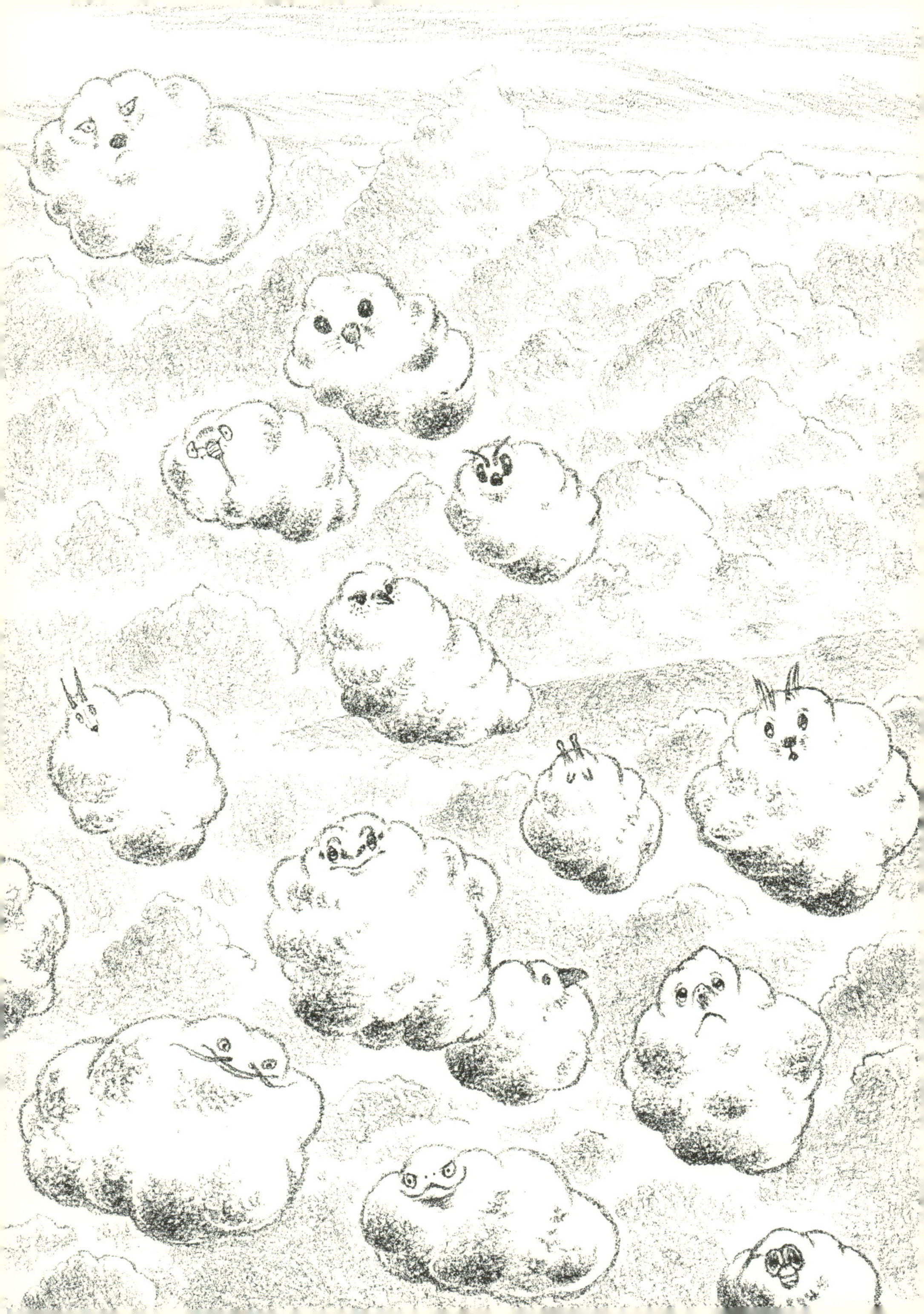

あたりがきゅうに明るくなった。青い空がいっぱいに広がり、太陽《たいよう》の光があふれていた。わしは雲の上にでたらしい。

「ツイタヨ　タヨ、クモノ、ウエ　ウエ　ウエ」

「ココハ　ココハ、クモノ、ウエノ、ムラ　ムラ　ムラ」

小さな雲たちが口ぐちにいった。見わたすかぎり青い空と白い雲ばかりだ。もくもくともりあがった雲や、きれをなげたようなほそ長い雲や、ぽこぽこならんだ小山《こやま》のような雲が、どこまでもつづいている。

そんな雲の上を、たくさんの小さな雲が、ふわふわうかんで、動《うご》きまわっているのが見える。

この小さな雲たちは、天にのぼった生きものたちのたましいなのだろうか。もしかしたら、わしは、この小さな雲たちとおなじたましいになって、雲の上にきてしまったのだろうか。わしはぼんやりと、そんなことを考《かんが》えていた。

小さな雲たちは、わしを見つけると、つぎつぎに近《ちか》

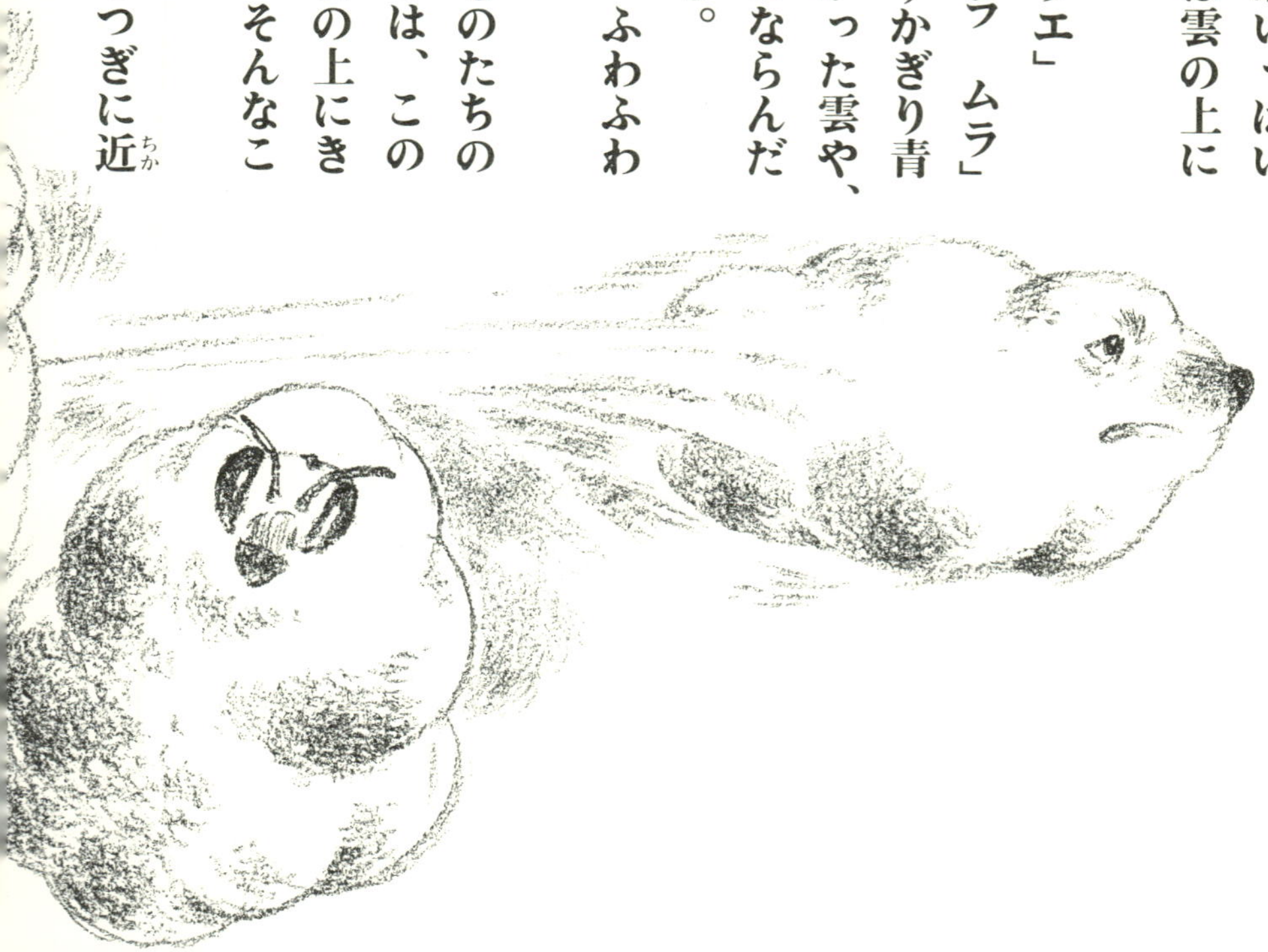

づいてきてあいさつをした。

「コンニチハ　チハハ」

「ヤアーッ　アーッ」

「イラッシャイ　シャイ」

どの小さな雲にもやはり顔がある。

ムササビみたいな顔、ミツバチみたいな顔、ヘビみたいな顔、ナマズみたいな顔、それまで見たことがない顔の小さな雲もいた。

「ヤア　ヤア、オカエリ　エリ」

カラスみたいな顔の雲がそばにきて、口を大きくひらいて、あいそよくいった。

「オカエリ　エリ！」

イヌみたいな顔の雲がひと声をさけんでおおいそぎで走っていった。

「リエカオ　カオ」

ヤマネみたいな顔の雲が、さかさまになってわしの顔をのぞきこんだ。わしが目をまるくすると、

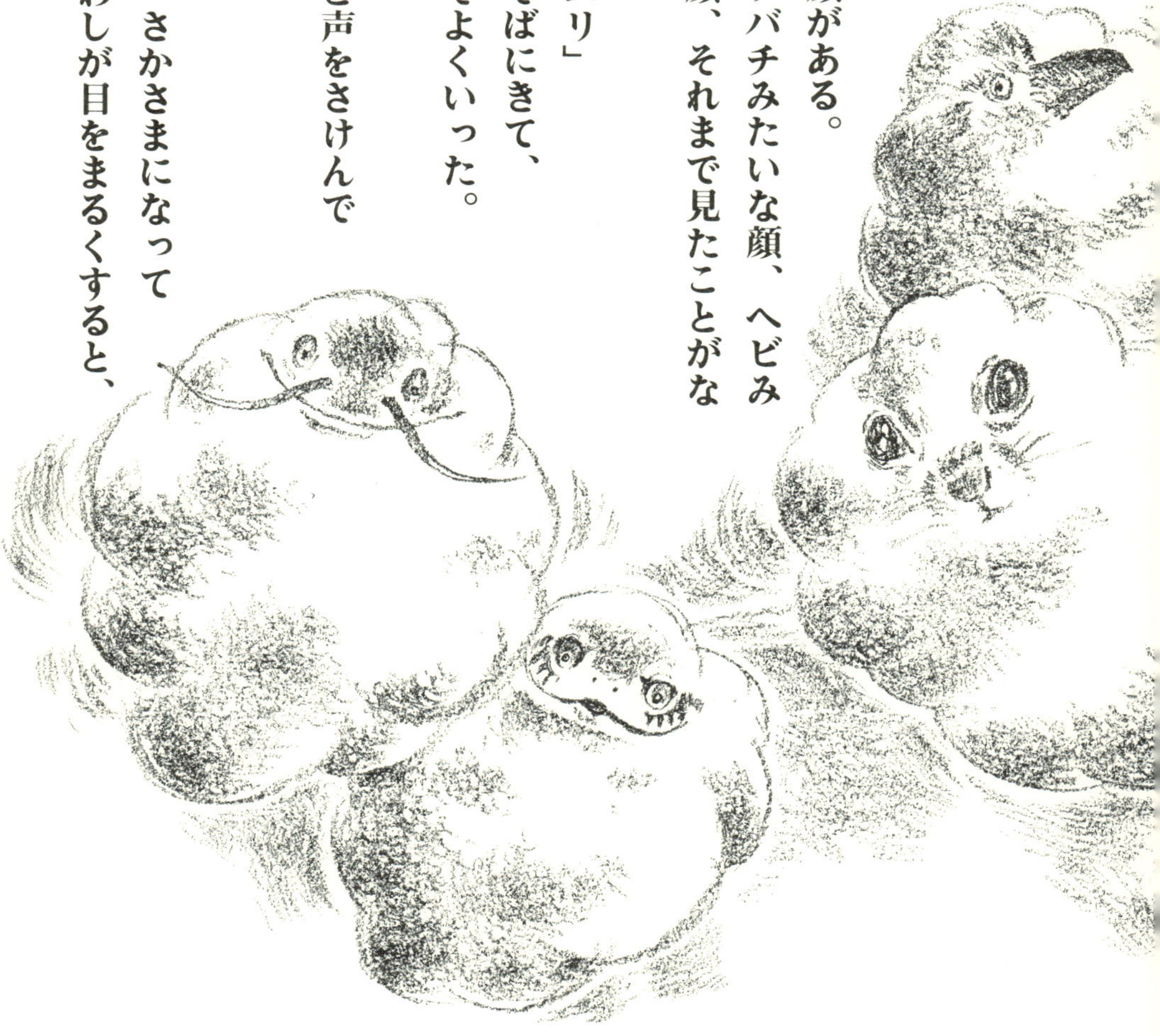

くるりとまわって、

「オカエリ　エリ」

といいなおした。

「オーカーエーリー　リー」

ナメクジみたいな顔の雲が、ゆっくりあいさつしながら、とおりすぎていった。

みんな、なんで「オカエリ」というのだろう。わしが雲の上の村にきたのは、はじめてのことなのに、どうもへんだ。

ゆきだるまみたいな大きな雲のわきをとおって、ニンゲンみたいな顔の雲と、顔ははっきりしないが、ミミズみたいなしっぽのある雲が、つれだってやってきた。

「ヨオッ　オッ」

ニンゲンみたいな顔の雲がいうと、

「ゲンキ　キ」

顔のはっきりしない雲が、

ミミズみたいなしっぽを、ちょこんと動《うご》かした。

わしはとても元気とはいえなかった。トガリ山の岩《いわ》の上にいたときにくらべれば、ずっとらくになったが、なんだか気もちがおもくるしかった。わしは、

「げんきじゃない……」

といおうとしたが、やっぱり声がでない。どうもへんだ。

ニンゲンみたいな顔の雲は、わしを見つめて、首をかしげた。顔のはっきりしない雲は、ミミズみたいなしっぽをぴくりと動《うご》かして、首をかしげた。

「ドウシタ　シタ？」

アマガエルみたいな顔や、ショウリョウバッタみたいな顔や、イワヒバリみたいな顔の雲が、顔をよせあって、わしをのぞきこんだ。

「きみたちは、だれ？」

声にはならないけれど、口だけ動かして、わしはみんなの顔を見まわした。

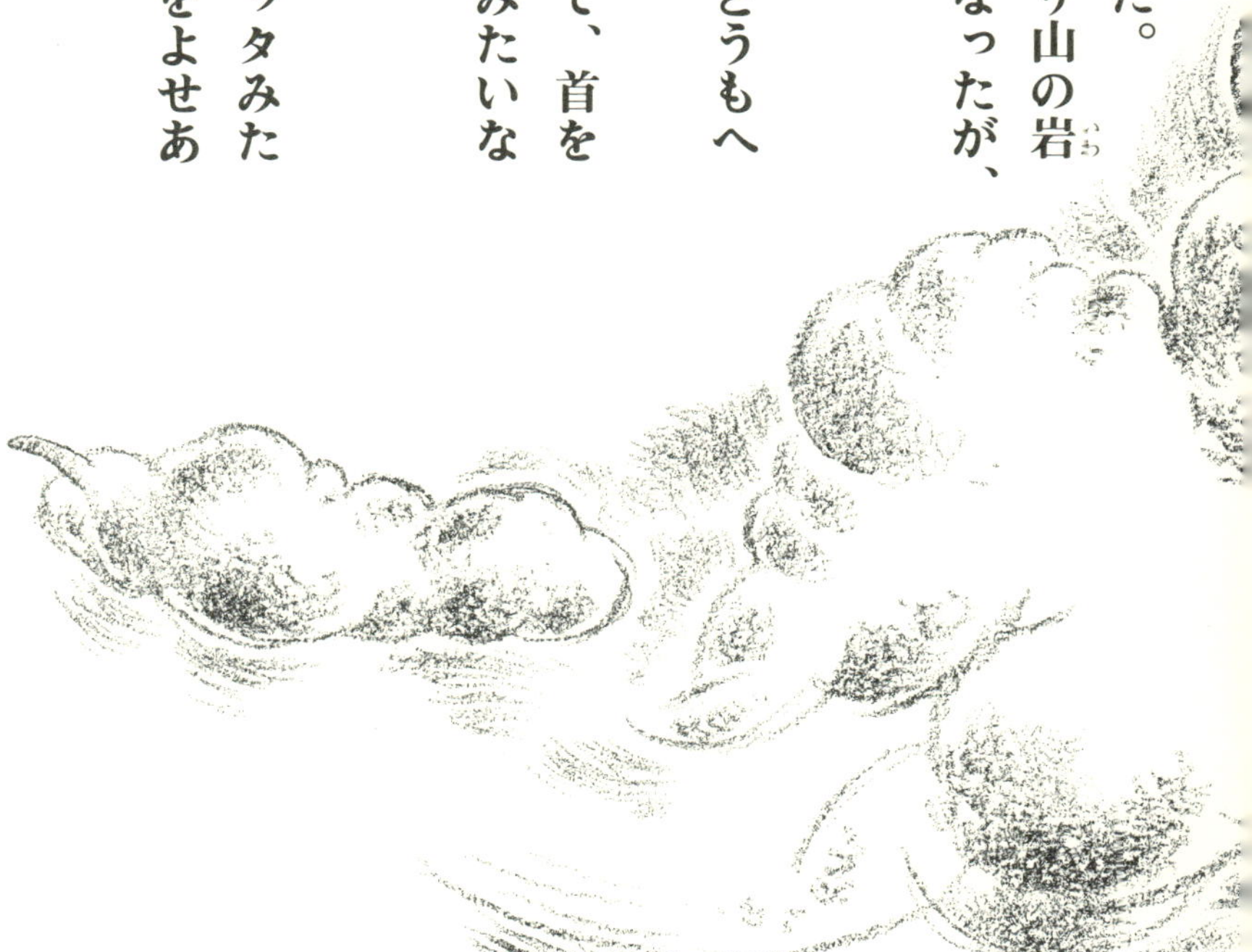

モグラみたいな顔や、アリみたいな顔や、ドジョウみたいな顔やトカゲみたいな顔の雲が、顔をよせあって、わしをのぞきこんだ。

オニヤンマみたいな顔と、ヒメネズミみたいな顔の雲のうしろに、サルみたいな顔の雲がいた。雲の中にきえたじいさんみたいな顔だと思った。

「サルのじいさん……」

よんでみたが、やっぱり声にならない。でも、サルみたいな顔の雲はわしに気づいたらしく、口のはしでちょっとだけわらった。

「ドウシタ　シタ？」

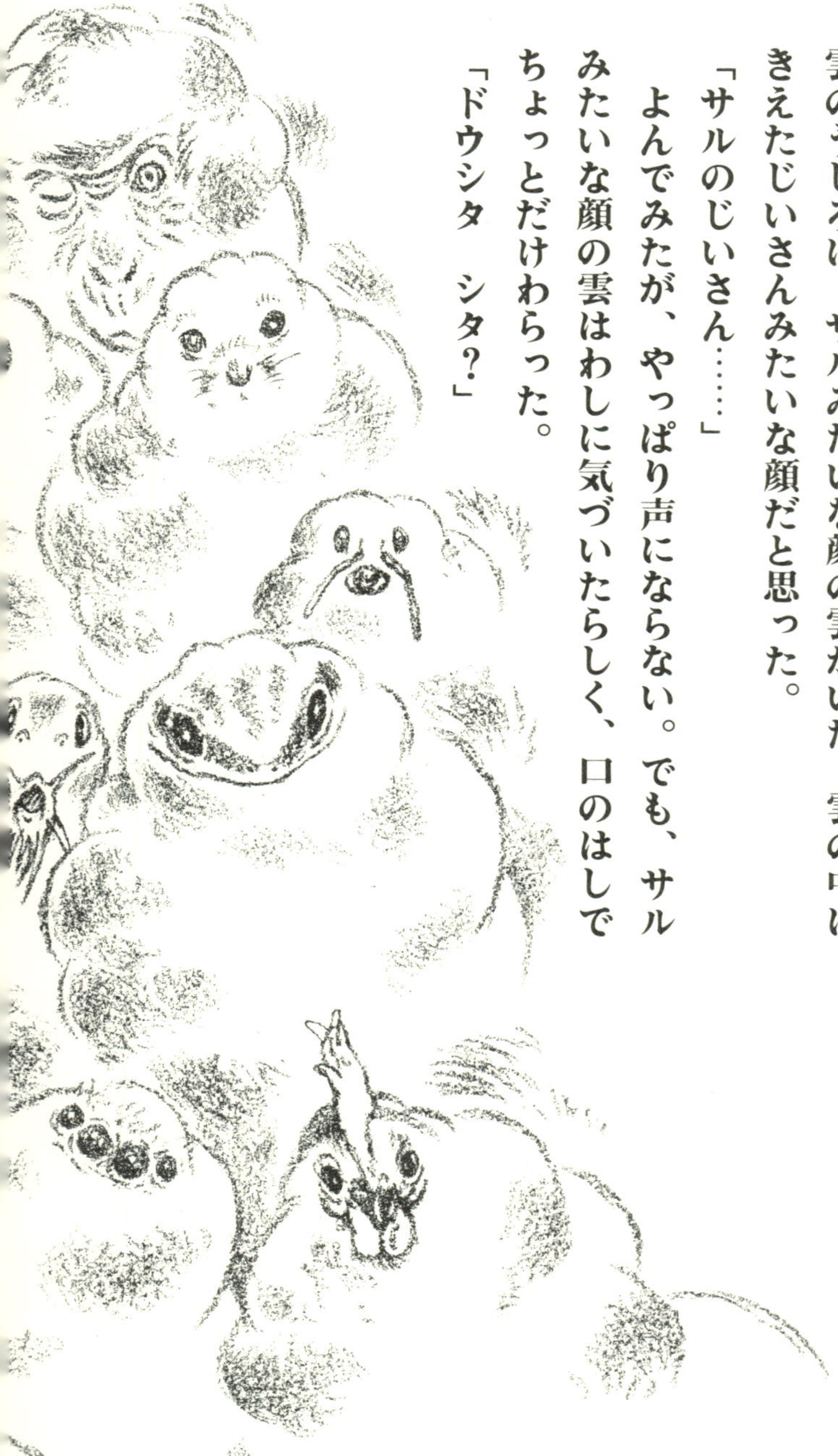

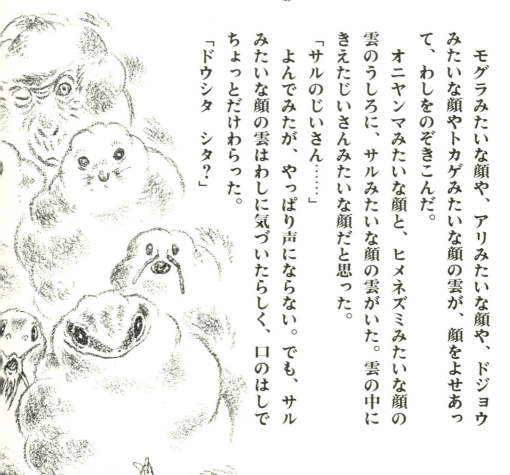

「ナニゴト　ゴト?」

「ナンナノ　ナノ?」

フクロウみたいな顔や、クモみたいな顔や、チャボみたいな顔や、カブトムシみたいな顔の雲が、顔をよせあって、わしをのぞきこんだ。それきり、サルみたいな顔の雲は見えなくなった。

ヤマバトみたいな顔と、ヤママユガみたいな顔の雲のあいだから、わしたちトガリネズミみたいな顔の雲が、わしをのぞきこんだ。

「ドウシタノ　タノ?」

とがった鼻先《はなさき》は、うすももいろにそまり、小さな黒い目は、ふかくすきとおっていた。

「イマ、カエッタ　エッタ、タマシイ　シイ」

「イマ、ツイタ　イタ、タマシイ　シイ」

アマガエルみたいな顔と、ショウリョウバッタみたいな顔の雲がいうと、

「ナンダカ　ダカ、ヘン　ヘン」

トガリネズミみたいな顔の雲は、しんぱいそうにわしを見つめて、

「ゲンキ　ナイ　ナイ」

といった。すると、ニンゲンみたいな顔の雲がそばにきて、

「タシカニ　カニ」

とうなずいた。

「タシカニ　カニ」

顔のはっきりしない雲もそばにきて、
ミミズみたいな

しっぽを
ぴくりと動《うご》かした。
わしの顔の上に、
たくさんの顔がならんだ。
みんなしんぱいそうに、
わしを見つめている。
——そうなんだ。ぼくはしっぽをけがして、体がよわってしまった——と、せつめいしたくても、どうしても声がでない。けがをしたしっぽを見ようと思うのだが、どこにあるのかはっきりしない。こんなことってあるんだろうか。
「ユックリ　クリ、オヤスミ　スミ」
トガリネズミみたいな顔の雲が、すぐそばに顔をよせてきてほほえんだ。なんだかちょっと、かあさんのにおいがしたような気がした。
「オフトン　トン、モッテクル　クル」

　イワヒバリみたいな顔の雲がそういうと、ふうっとすがたをけした。

　オフトントンってなんだろう。ねるときにかけるふとんのことだろうか。

　わしはいったいどうしてしまったのだろう。テントはどこにいるんだろう。わしは、どこまでも広がる雲の上で、小さな雲たちにかこまれて、ぷかりぷかりとうかんだまま考《かんが》えていた。

　イワヒバリみたいな顔の雲が、うすだいだいいろの雲をかかえてもどってきた。ゆうやけ空のどこかに、うかんでいたような雲だ。

「タマシイノ、ヌクモル　モル、オフトン　トン」

　アカトンボみたいな顔の雲が三つ、うたいながらついてきた。

　トガリネズミみたいな顔の雲は、うすだいだいいろの雲をうけとると、

「サア、ユックリ　クリ、オヤスミ　スミ」

といって、雲のふとんを、そっとわしにかけてくれた。

雲のふとんは、なんだかとても、なつかしいにおいがした。春の日のゆうがた、かあさんといっしょに、ゆう日を見ているとき、こんなにおいをかいだことがあるような気がした。あれは、小さな風がはこんできた、野の花のにおいだったのだろうか。雲のふとんはほっかりとあたたかかった。かあさんにだかれているみたいだ。

トガリネズミみたいな顔の雲が、わしにほほえみかけながら、うたいはじめた。

シロイ、クモノ　モノ、ウエ　ウエ　ウエ
アオイ、ソラノ　ラノ、シタ　シタ　シタ
アフレル　レル、ヒカリ　カリ　カリ
タマシイノ、ヤスム　スム、トコロ　コロ
トガリヤマニ　マニ、ウカブ　カブ　カブ
クモノ、ウエノ　エノ、ムラ　ムラ　ムラ

それは、むかしきいた、かあさんのこもりうたに、にているなと思った。

アマガエルみたいな顔、ショウリョウバッタみたいな顔、イワヒバリみたいな顔、ニンゲンみたいな顔、顔ははっきりしないが、ミミズみたいなしっぽの雲たちも、みんな小声でうたいはじめた。

やがて小さな雲たちのがっしょうは、雲の上の村にしずかに広がっていった。小さな雲たちは、うすももいろや、うすむらさきいろや、うすきみどりいろにそまって、わしのまわりをゆっくりとまわっていた。わしは雲の上の村で、雲のふとんにくるまって、にじいろのねむりのせかいにはいっていった。

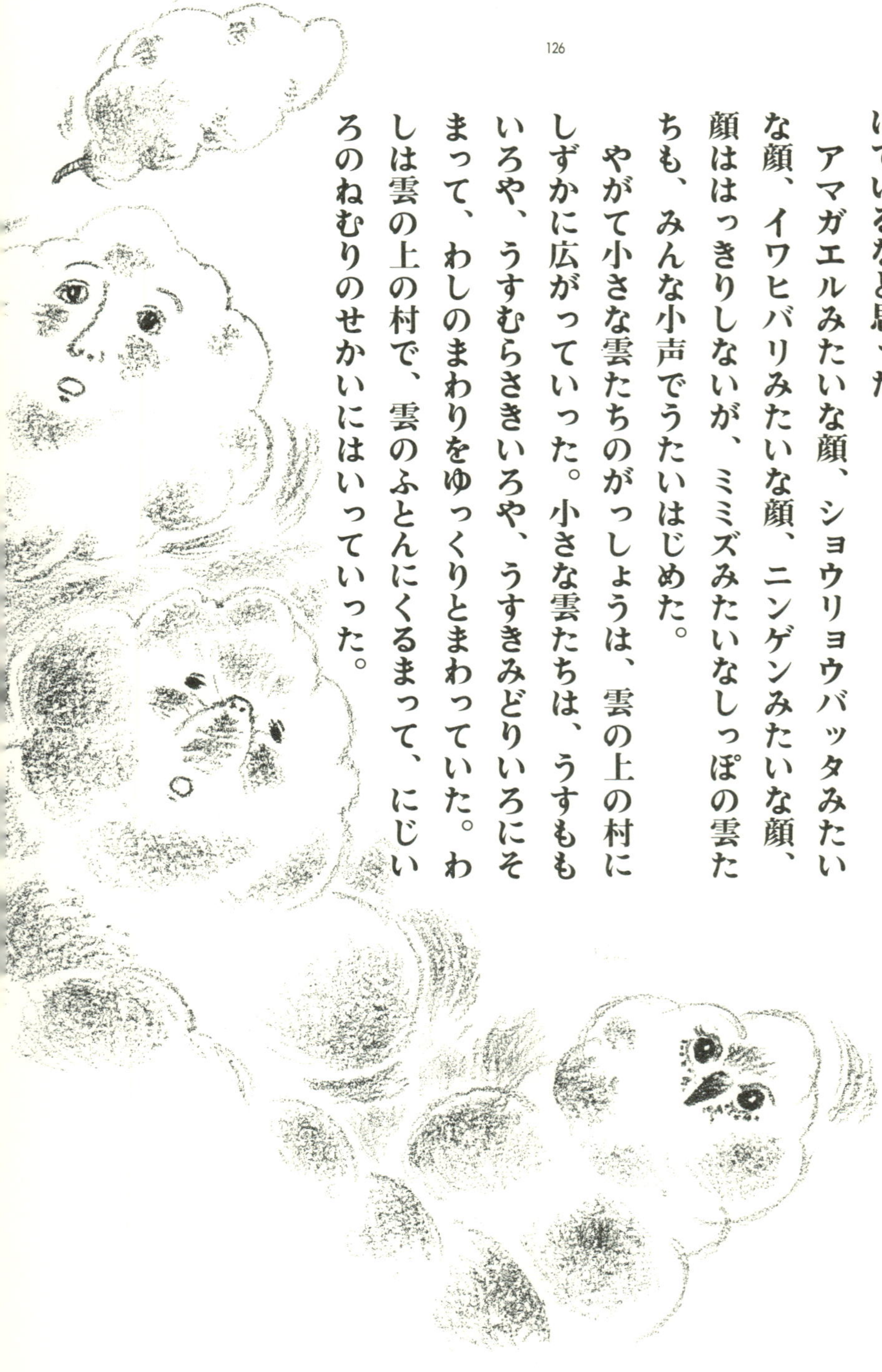

9

アノヨはこのよ　コノヨはあのよ

わしは、ゆうやけ空にうかぶ雲のような、ふかふかのふとんにくるまって、ぐっすりとねむった。どのくらいねむったのだろう。とろりととろけそうな気分のまま目がさめた。

トガリネズミみたいな顔の雲が、わしの顔の前にうかんでわしを見つめていた。さっきまでわしをとりかこんでいたたくさんの小さな雲たちは、いつのまにかどこかへ行ってしまって、みんないなくなっている。

「キブンハ、イカガ　カガ？」

トガリネズミみたいな顔の雲が、ほほえみかけてきた。わしはまだゆめの中にいるような気がしていて、だまってほほえみかえした。

「ゲンキ、デテキタ　キタ、ミタイ　タイ」

トガリネズミみたいな顔の雲が、うれしそうにいった。どこからか、また、かあさんのにおいがしたような気がした。

かあさん。

わしをうみ、そだててくれたかあさん。どんな生きものにも、かあさんっているんだ。かあさんはやさしい。

じぶんでミミズをとって食べられるようになると、わしは、かあさんとべつべつにくらすようになった。あれからもう、ずっとあってはいないけれど、かあさんのぬくもりは、いつまでも、わしの心の中にのこっている。

ゆうやけ雲のふとんにくるまってねむったせいか、わしはだいぶ元気になった。なんだか、おなかがすいてきたような気がした。しかし、ここは雲の上、ミミズをつかまえることはできそうもない。わしはぼんやりそんなことを考《かんが》えた。

そうだ、リュックのほしミミズを食べよう。なにも食べるものがないときのひじょう食《しょく》にと、もってきたおべんとうがここでやくにたつ。わしはリュックをはずそうと背中《せなか》をさがした。だが、へんだぞ、背中がな

いし、リュックもない。

テントがいないはずだ。どこかで、リュックごと、いや背中《せなか》ごと、はぐれてしまったにちがいない。

「背中がない！リュックがない！テントがいない！」

わしは、トガリネズミみたいな顔の雲にむかっていった。わしの口から、やっと声がでた。トガリネズミみたいな顔の雲は、けげんな顔でわしを見て、

「セナカガ、ナイ　ナイ？　リュックガ、ナイ　ナイ？テントガ、イナイ　ナイ？」

とつぶやいた。

「背中のリュックに、ともだちのテントと、ほしミミズがはいっていたんだ」

「トモダチノ　チノ、ホシミミズ　ミズ？」

トガリネズミみたいな顔の雲は、ますますふしぎそうな顔でわしを見つめた。

「ともだちはテントだよ。ほしミミズは、食べるものがないときのひじょう食《しょく》さ」

「ヒジョウショクサ　クサ?」

「ぼく、元気がでてきたら、おなかがすいてきたんだ」

「オナカガ　カガ、スイテキタ　キタ?」

トガリネズミみたいな顔の雲は、びっくりしたように目を見ひらいた。

「タイヘン　ヘン　ヘン!」

トガリネズミみたいな顔の雲は、わしをくるんでいたゆうやけ雲のふとんをはらいのけると、

「イソイデ　イデ、アノヨニ、モドロ　ドロ」

といって、手をさしだした。

「あのよ!」

こんどはわしがびっくりしていうと、

「ソウ、イマナラ　ナラ、アノヨニ、モドレル　レル」

トガリネズミみたいな顔の雲は、わしをつかんだ。

「あのよに、もどるの?」

トガリネズミみたいな顔の雲は、すぐにはこたえず、わしをつかんで雲の上をおよぐように飛《と》んだ。

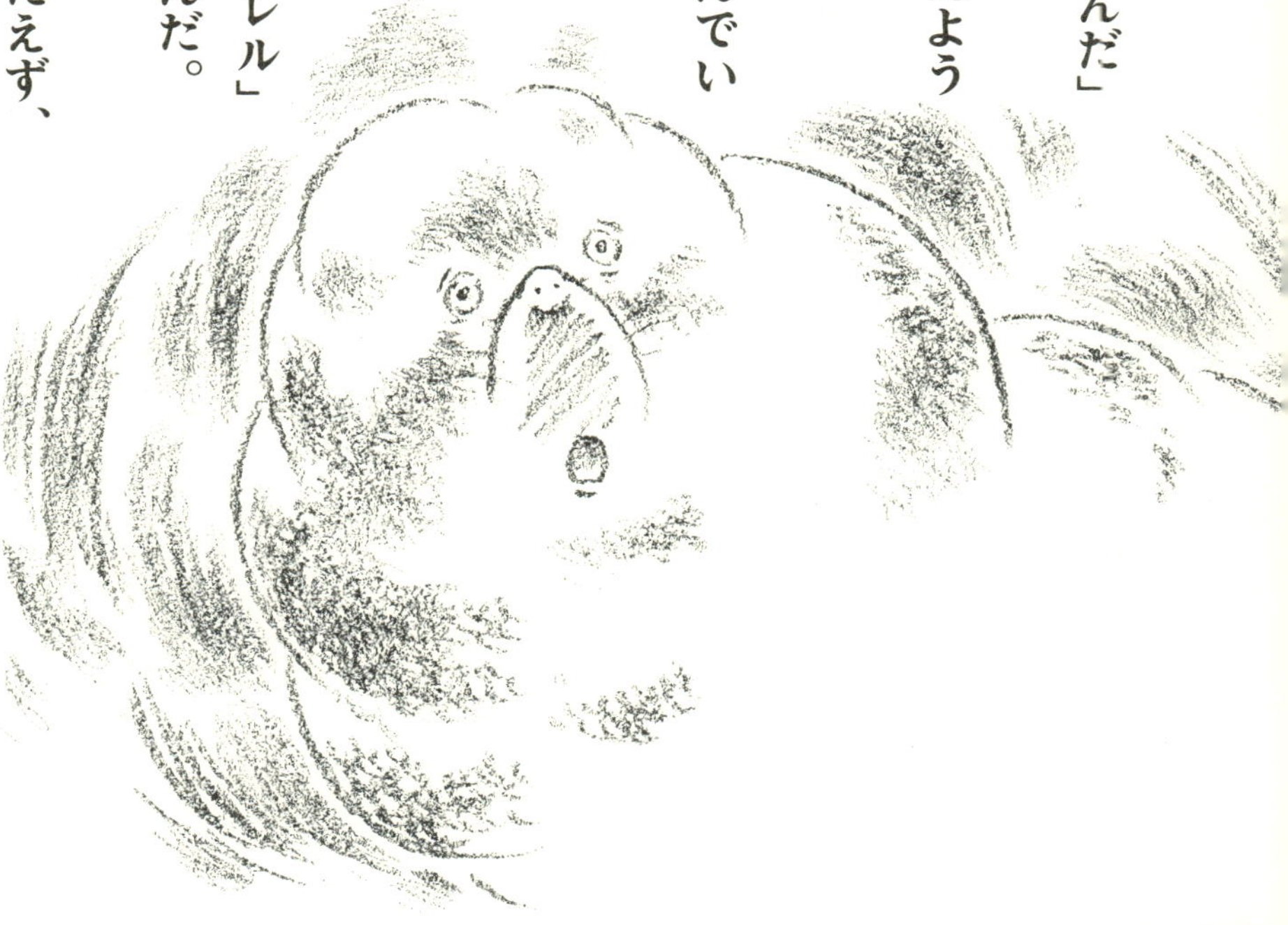

「ぼくは、あのよからきたんじゃない！」

あのよにつれていかれてはたいへんだ。わしは大声でさけんだ。

「ココハ、コノヨ　ノヨ、ムコウハ、アノヨ　ノヨ」

「ここは、このよ？」

「ココハ　イツモ、コノヨ　ノヨ、ムコウハ　イツモ、アノヨ　ノヨ」

「むこうは、あのよ？」

「サカイヲ、コエレバ　レバ、アノヨガ、コノヨ　ノヨ、コノヨガ、アノヨ　ノヨ」

「このよが、あのよ？」

「アナタハ　タハ、マダ、アノヨノモノ　モノ」

「あのよのもの？」

「コノヨニ、キテハ　テハ、イケナイ　ナイ、アノヨノモノ　モノ」

　トガリネズミみたいな顔の小さな雲は、飛《と》びながらわしの方をふりかえって、

「コノヨノモノハ　ノハ、オナカ、スカナイ　ナイ、スイタ、オナカハ　カハ、アノヨニ、アル　アル」

　と、しんけんな顔でいった。

　どうやら、トガリネズミみたいな顔の雲がいっている、アノヨとコノヨは、わしたち生きているものにとっての、あのよとこのよとはぎゃくらしい。つまり、わしたち生きているものがいうこのよが、むこうからみればアノヨなのである。

　やっぱり、たいへんなことになっていたようだ。わしのたましいはあのよにうかんでいたのだ。

「ぼくはまだ、アノヨにかえれる？」

わしは、すこしでもはやく飛《と》べるように、ひっしにもがいた。

「アナタノ、カラダハ　ダハ、ドコ　ドコ？」

トガリネズミみたいな顔の雲が、またけわしい顔でふりかえった。

「ぼくの体？」

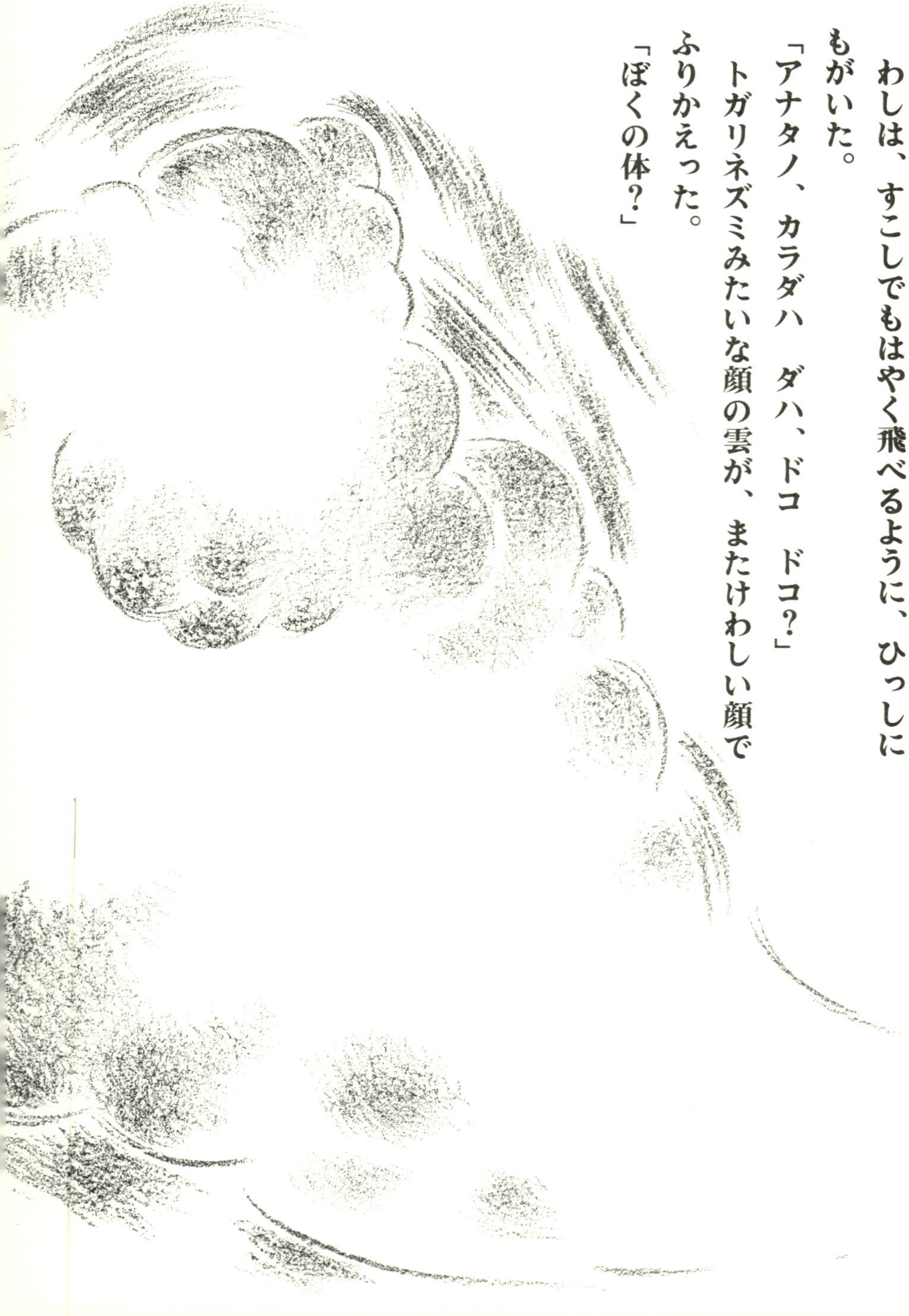

わしは、トガリ山の岩《いわ》のがけをのぼっているとちゅうで、雲につつまれ、雲の上の村にきてしまったんだ。

「ぼくの体は、トガリ山の岩のがけの上だよ」

わしはさけんだ。

「イソゴ　ソゴ、トガリヤマニ　マニ、イソゴ　ソゴ！」

トガリネズミみたいな顔の雲は、わしをひきよせると、まるであかんぼみたいにだきかかえた。すじ雲が、なん本も、まっすぐうしろにのびて飛んでいった。うろこ雲のあいだをつぎつぎにぬけて、わしたちは、まっ白なあつい雲の中につっこんでいった。やがて、なにも見えなくなった。

「アノヨニ、モドレバ　レバ、アノヨハ、コノヨ　ノヨ、コノヨハ、アノヨ　ノヨ　ノヨ　ノヨ」

トガリネズミみたいな顔の雲の声が、わしからだんだんはなれていった。

わしは、いきぐるしくなってもがいた。

「トガリ山は、どこ？」

「トガリヤマハ　マハ、アノヨノ、サカイ　カイ、サカイヲ、コエレバ　レバ、アノヨハ、コノヨ　ノヨ　ノヨ　ノヨ　ノヨ」

声はますます遠《とお》ざかっていった。

わしはひとり雲の中にうかび、もがきながら、トガリ山をさがした。

「トガリ山は、どこ？」

雲にかくれて見えないが、あんなに大きな山が、見つからないはずはない。

「トガリヤマーッ！」

わしは、ありったけの声をふりしぼってさけんだ。

すると、

「ヤマーッ　ヤマーッ　ヤマーッ」

雲の中から声がかえってきた。トガリネズミみたいな顔の雲の声ではない。それはわしの声ににている。

もしかしたら、こだまかもしれない。

「トガリヤマーッ！」

もう一度《いちど》さけぶと、

「ヤマーッ　ヤマーッ　ヤマーッ」

やっぱりわしの声がかえってくる。こだまにちがいない。トガリ山がこたえているみたいだ。

「テントォーッ」

わしはまたさけんだ。

「トォーッ　トォーッ　トォーッ」

こだまがかえってきて、すぐそのあとで、

「トォーガリィ！トォーガリィ！」

テントらしい声がきこえた。

そっと目をあけると、わしの顔の前で、テントがしんぱいそうにわしを見つめていた。

「トガリィ、気がついた」

テントがうれしそうにいった。

「まあ、よかったこと」

べつの声が上の方からきこえた。見あげると、ライチョウの顔が、わしを見おろしてほほえんでいた。

わしはどうしたのだろう。

ここはどこだ。わしはまわりを見まわした。

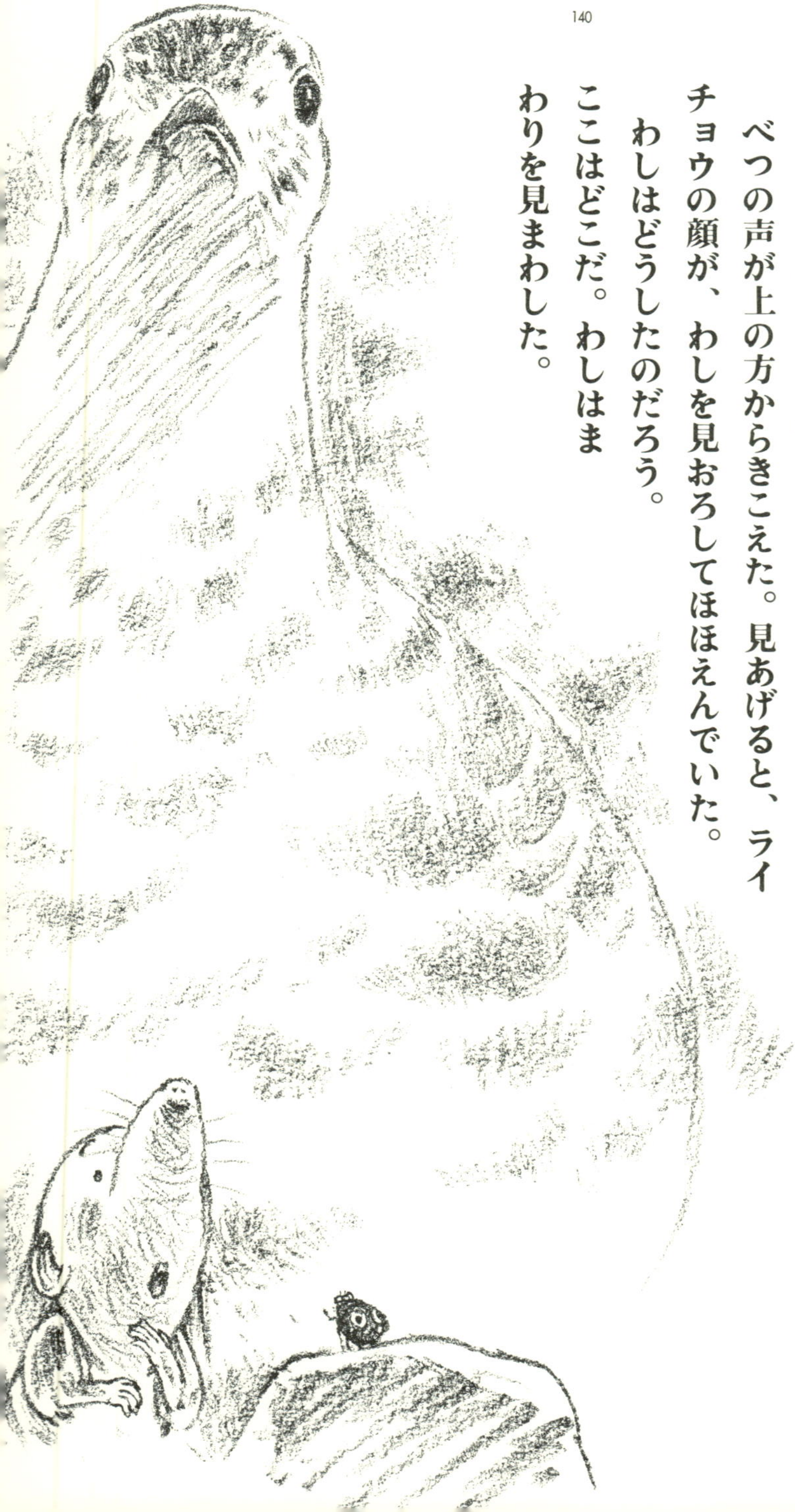

　わしは、ライチョウの体の中にうずくまっていた。ここは、トガリ山の岩《いわ》のがけの上のようだ。わしのたましいは、このよにもどってくることができたのだ。

「トガリィ、よかった。ライチョウのおばさんのおかげ」

　テントがなみだをうかべていった。

ライチョウのふかふかの羽《はね》にくるまっていると、ほっかりとあたたかかった。ゆうやけ雲のふとんにくるまっているみたいだ。また、どこからか、かあさんのにおいがした。

「テントが、わたしをよびにきたのさ。ともだちをたすけてってね」

ライチョウは、ふとんをかけなおしてくれるみたいに、体をふくらませて、わしをつつみこんだ。

「もっとやすんでいたほうがいい。トガリィ、おまえさんはいいともだちをもったねぇ。テントがいなきゃ、あのよに行ってしまったところだったよ」

「ちょっとだけ、あのよに行って、すぐもどってきたのさ」

わしがいうと、

「おや、あのよに行ってたのかい」

ライチョウがおどろいたようにいって、テントと顔を見あわせわらった。

ライチョウの体のぬくもりが、あのよから、わしのたましいをよびもどしてくれたのかもしれない。

「テントありがとう。ライチョウのおばさん、ありがとう」

わしがおれいをいうと、

「しっかり元気になるまで、ゆっくり休んだほうがいいよ。トガリ山のてっぺんは、いつでも行けるんだから。トガリ山はどこにもにげやしないよ」

ライチョウは、かあさんみたいにやさしくいった。

「にげやしない、トガリ山」

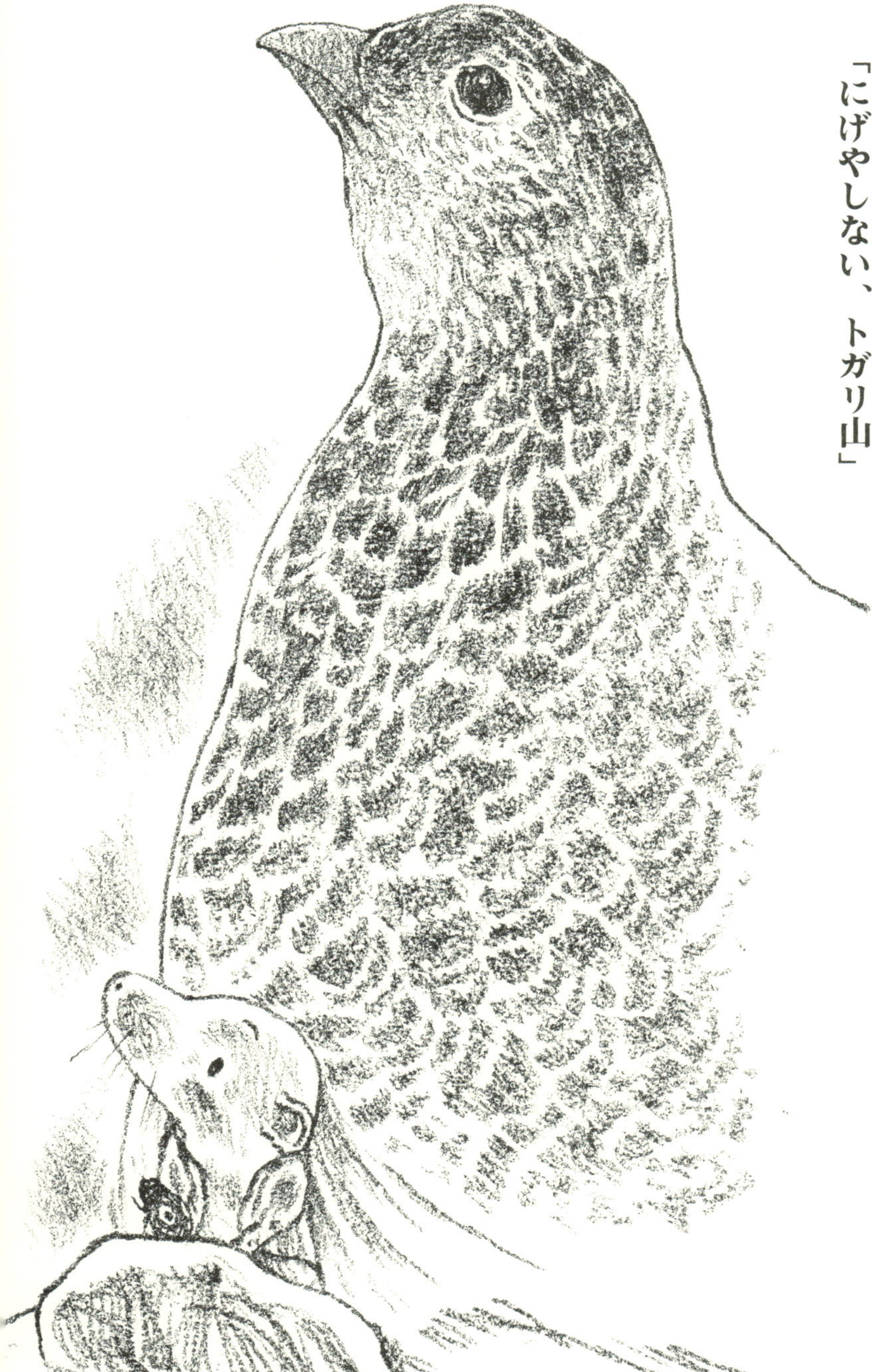

テントは、雲にかくれたトガリ山のてっぺんあたりを見あげた。

「ぼく、おなかがすいてしまった」

わしがいうと、

「それはいい。おなかがすいたのは、元気がでてきたしょうこ」

ライチョウがいうと、

「リュックの、ほしミミズ！」

テントが、ライチョウのおなかの下をゆびさした。

わしのうずくまっているすぐわきに、わしのリュックがあった。たおれていたわしの背中《せなか》から、ライチョウのおばさんがはずしてくれたのだという。

わしはリュックの中から、ほしミミズをだしてかじった。口の中でだんだんやわらかくなって、体中《からだじゅう》におしさが広がっていった。じぶんは生きているんだ、そう思うと、なんだかきゅうにうれしくなって、体がふるえた。

「だいじょうぶ、トガリィ」

テントがしんぱいそうに、わしの顔をのぞきこんだ。

「おいしい　しい、ほしミミズ　ミズ　ミズ」

わしがほしミミズをのみこんで、小さな雲たちのまねをすると、

「おい、ほしい、ミズ　ミズ？」

テントがこまった顔で、あたりを見まわした。

「ちがう　ちがう、あのよのことばは、こだまするのさ　のさ　のさ」

わしがわらうと、

「のさ　のさ、こだまする　する　する？」

テントもわらった。

「ほら、てっぺんが見えるよ」

ライチョウがささやくようにいった。動く雲の中に、トガリ山のてっぺんがぼんやりうかんで、またすぐに見えなくなった。

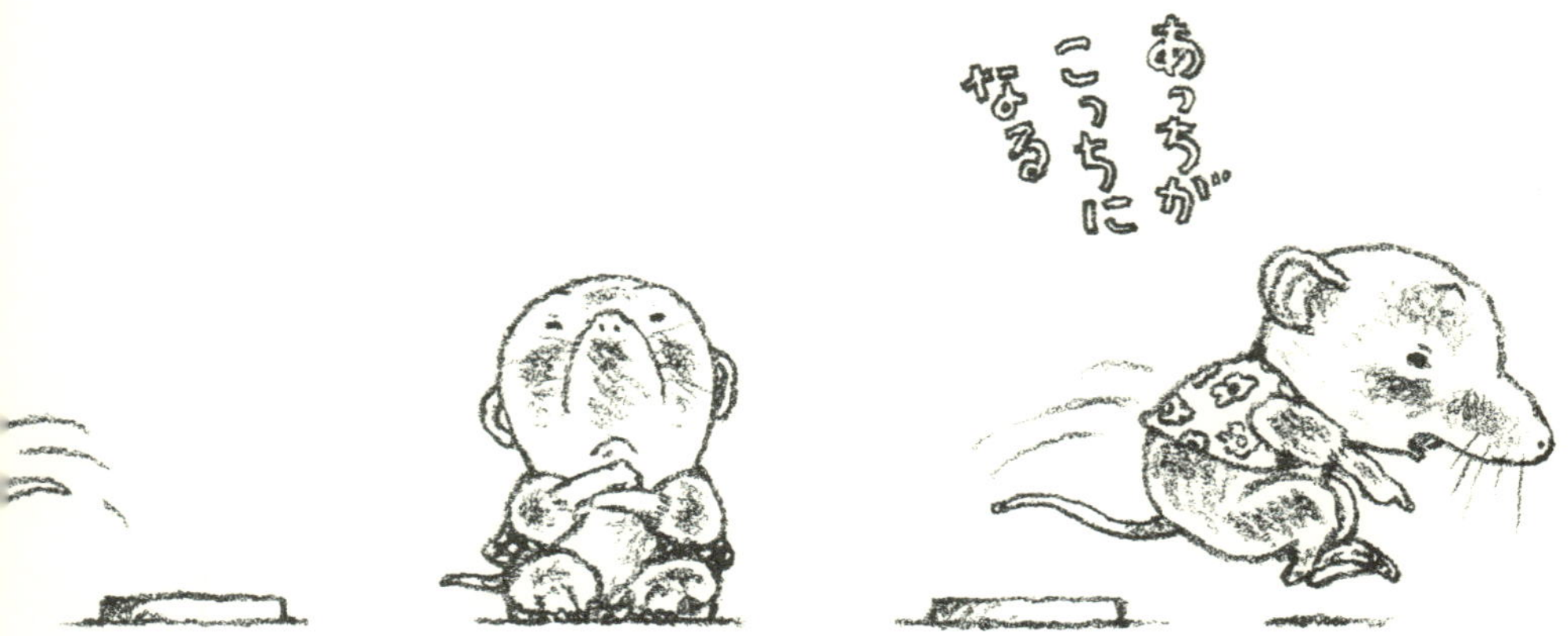

「おじいちゃん、あのよからかえってこられて、よかったね」

キッキがほっとしたようにいった。

「おじいちゃん、やっぱり生きてた」

クックもほっとしたようにいった。

「たましいは、ちょっとだけあのよに行ったけど、体がまだ生きてたんだよね」

セッセが目と目のあいだにしわをよせて、トガリィじいさんを見た。

「あのよはコノヨって、なんだかおもしろい。あっちに行けば、あっちがこっちになる、ってことでしょ」

キッキがいうと、

「そうだよ、じぶんがいまいるとこはいつもここだから、あのよに行け

ば、あのよはコノヨだ」

　セッセがうでぐみをしてうなずいた。

「それって、やっぱり、なんだかふしぎ。あっちへ、えいっと行くと、あっちがこっちになる。そこへ、えいっと行くと、そこがここになる」

　キッキが、ゆびをさしては、ぴょんとはねて、い場所《ばしょ》をうつした。

「あっちが、えいっ、こっちになる。そこが、えいっ、ここになる」

　クックもまねをして、ぴょんとはねては、い場所をうつした。

「トガリネズミみたいな顔の雲って、おじいちゃんのおかあさんのたましいなの？」

セッセがむずかしい顔でいった。

「あたしも、なんだかそんな気がした」

キッキが両手《りょうて》でひざをだいた。

「それは、わしにもはっきりとはわからない。でも、かあさんみたいにやさしく、わしのことを思ってくれた」

トガリィじいさんはほほえんで、めがねの上から遠《とお》くを見た。

「どんな動物《どうぶつ》にも、かあさんがいるの？」

クックが、トガリィじいさんのよこに体をぴたりとつけてすわった。

「そうだよ。みんなかあさんから生まれてくるんだ」

トガリィじいさんがクックの肩《かた》に手をやった。

「かあさんって、みんなやさしい？」

クックがトガリィじいさんの顔を見あげた。

「もちろん」

トガリィじいさんがうなずくと、

「子どもが死《し》んだら、かあさんはかなしいよな」

セッセがまたうでぐみをした。

「イワザルのかあさんは、子どものことをしんぱいして、なにもいわずにまっているうちに、岩《いわ》になっちゃったんだもんね」

キッキが両手でほおづえをついていった。

「サルのじいさんも、アノヨで、かあさんのたましいと、であっているかな……」

セッセがしんみりといった。

「ミミズって、ミとミズでできてるんだね」

クックがきゅうに大声をだした。

「なに、それ。そうか、ミミズ　ミズ　ミズ。ミとミズでミミズだ」

キッキがほおづえをはずしてわらった。

「ミとミズだけじゃなく、たましいもあるんじゃないの」

セッセがうでぐみをしたまま、まじめな顔でいった。

「そうか、ミとミズのなかに、たま

しいがある」

クックが立ちあがると、トガリィじいさんはわらって、

「さて、つづきはまたあした」

といって、ゆっくり立ちあがった。

「つづきは　きは　きは、またあした　した。おやすみ　すみ　すみ、おじいちゃん　ちゃん」

三びきはうたいながら、ぷかりぷかりうかんで、飛《と》んでかえっていった。

いわむら　かずお

1939年東京に生まれる。東京藝術大学工芸科卒業。

1975年東京を離れ、家族とともに栃木県益子町に移り住む。

「14ひきのシリーズ」（童心社）や「こりすのシリーズ」（至光社）など多くの作品が、フランス、ドイツ、中国、スイスなど多くの国でもロングセラーとなり、世界のこどもたちに親しまれている。

『14ひきのあさごはん』（童心社）で絵本にっぽん賞、『14ひきのやまいも』で小学館絵画賞、『ひとりぼっちのさいしゅうれっしゃ』（偕成社）でサンケイ児童出版文化賞、『かんがえるカエルくん』（福音館書店）で講談社出版文化賞絵本賞、エリックカールとの合作『どこへ行くの？ To See My Friend!』（童心社）でピアレンツ・チョイス賞（アメリカ）受賞。

1991年日本各地の森や山を歩き取材を重ねた「トガリ山のぼうけん」シリーズがスタート、1998年全8巻完結。

1998年栃木県那珂川町に「いわむらかずお絵本の丘美術館」を設立。絵本・自然・こどもをテーマに活動を続けている。

「ゆうひの丘のなかま」シリーズ（理論社）「ふうとはな」シリーズ（童心社）「カルちゃんエルくん」シリーズ（ひさかたチャイルド）などは、美術館のある「えほんの丘」に暮らす生きものたちを主人公に描いた作品である。

2014年、フランス藝術文化勲章シュヴァリエを受章。

＊本書は1991年～1998年に刊行された「トガリ山のぼうけん」シリーズ（全8巻）の新装版です。

トガリ山のぼうけん⑦
雲の上の村 新装版

2019年10月 初版
2019年10月 第1刷発行
文・絵 いわむらかずお
ブックデザイン 上條喬久
発行者 内田克幸
編集 岸井美恵子
発行所 株式会社理論社
東京都千代田区神田駿河台二-五
電話 営業 03-6264-8890
編集 03-6264-8891
URL https://www.rironsha.com
印刷・製本 中央精版印刷株式会社

ISBN978-4-652-20347-7
NDC913 A5判 22cm 151p

トガリ山のぼうけん（全8巻）
いわむらかずお